Pro Helvetia Collection of
German Swiss Literature

Donated by the
Arts Council of Switzerland

Max Frisch

Schwarzes Quadrat

Zwei Poetikvorlesungen

Herausgegeben von
Daniel de Vin
unter Mitarbeit von
Walter Obschlager

Mit einem Nachwort
von Peter Bichsel

Suhrkamp

Satz: Hümmer GmbH, Waldbüttelbrunn
Druck: Druckhaus Nomos, Sinzheim
Printed in Germany
Erste Auflage 2008
ISBN 978-3-518-41999-1

2 3 4 5 6 – 13 12 11 10 09 08

Inhalt

ten) und »Zweite Vorlesung. THE WRITER AND HIS PARTNERS / THE FUNCTION OF LITERATURE IN SOCIETY« (numeriert 1-29, plus »(Manifest)«, 2 Seiten, an der Stelle der fehlenden Seite 27). Das City College (C. C. N. Y.) liegt in Harlem und ist der älteste Teil der City University of New York, der traditionellen öffentlichen Universität für Einwandererkinder.

In der ersten Vorlesung übernahm Frisch sieben von zehn Zitaten aus eigenen Werken in den bestehenden englischen Übersetzungen, in der zweiten Vorlesung ist das bei drei von elf Zitaten der Fall. Ein englischsprachiges Typoskript fand sich bisher nicht, wohl aber eine spätere, zweiteilige Veröffentlichung in der von Mark Jay Mirsky am C. C. N. Y. herausgegebenen Zeitschrift *Fiction* (7/3&8/1, 1985, S. 245-269; 9/2, 1989, S. 29-42), in der Übersetzung der amerikanischen Autorin Lore Segal, mit einer Zusammenfassung von Teilen der anschließenden Fragerunde. An der Gründung dieser Zeitschrift Anfang der siebziger Jahre sollen neben Donald Barthelme auch Max und Marianne Frisch beteiligt gewesen sein. Marianne Frisch wird heute noch als »European Editor« genannt.

Erst in Mirskys Vorwort zur Zeitschriftenveröffentlichung des zweiten Teils erfahren wir den genauen Wortlaut der laut Hinweis im Text nicht von Frisch selbst stammenden, wohl aber von ihm akzeptierten Titel der ersten Vorlesung: *The Writer's Journey: From*

Impuls To Imagination. Der Titel *Literature And Social Consciousness* bezieht sich auf ein Symposion mit Schriftstellern an einem dritten Tag. Textvergleiche zeigen eindeutig, daß das deutschsprachige Original-Typoskript als Vorlage für die englische Übersetzung gedient hat.

Grundlage des hier wiedergegebenen Textes ist folglich das Original-Typoskript. Grundsätzlich sind Orthographie und Interpunktion beibehalten worden; offensichtliche Schreibfehler wurden korrigiert. Im Typoskript beginnen auf einen Doppelpunkt folgende Sätze manchmal mit Groß-, manchmal mit Kleinschreibung. Die Herausgeber haben zu Großschreibung vereinheitlicht immer dann, wenn auf einen Doppelpunkt ein neuer Abschnitt folgt.

Die Zitate, die Frisch anführt, sind in Abweichung vom Typoskript kursiv gesetzt.

Sie stimmen oft nicht wörtlich mit den entsprechenden Stellen der Originale überein; die Herausgeber folgen konsequent dem Wortlaut des Typoskripts, verweisen in den Fußnoten auf die Originaltexte.

Die Vorlesungen sind so strukturiert, daß der Siebzigjährige, in der Konfrontation mit von ihm selber ausgewählten eigenen Aussagen aus früheren Jahrzehnten, seine derzeitige Haltung überprüft. Die meisten Zitate stammen aus dem *Tagebuch 1946-1949*, wodurch erneut dessen zentrale Bedeutung im Gesamtwerk des Autors unterstrichen wird. Bei den ersten vier aus dem Frühjahr 1946 steht die Schriftstellerei im Mittelpunkt, sie thematisieren im Kontext des ersten Besuchs im Nachkriegsdeutschland das Verhältnis von Sprache und Wirklichkeit. Das fünfte Zitat, datiert Sommer 1949, bezieht sich auf das Verhältnis von Sprache und Erfahrung, das Erzählen von Geschichten, ebenso wie die drei folgenden aus den Romanen *Stiller* (1954), *Mein Name sei Gantenbein* (1964) und aus der Erzählung *Montauk* (1975). Während das nächste Zitat, über die Erfahrung als Einfall, ebenfalls aus dem Kontext des *Gantenbein*-Romans stammt, paraphrasiert das letzte Zitat der ersten Vorlesung Positionen von 1978 im Vergleich zu Äußerungen aus dem Jahre 1958, was am Anfang wie am Ende der zweiten Vorlesung fortgeführt wird. In deren Mittelteil wird ein Zitat aus dem Jahre 1967 (aus *Tagebuch 1966-1971*) von zwei Zitaten aus den Jahren 1946 und 1947 (aus *Tagebuch 1946-1949*) eingerahmt.

Am wichtigsten ist eine nahezu vergessene, weil nicht in die *Gesammelten Werke* aufgenommene Rede vom Mai 1978, gehalten anläßlich der Tagung des Internationalen PEN in Stockholm, in der Frisch sich mit der Verantwortung des Schriftstellers beschäftigt. Schon zwanzig Jahre früher (*Öffentlichkeit als Partner*, 1958) hatte er sich zur Erfindung eines Lesers und den Erwartungen des realen Publikums geäußert und sich bei der Suche nach einer Kongruenz von Sprache und Erfahrung auf Georg Büchner berufen. Aus Formulierungen der Stockholmer Rede entsteht nun am Ende der zweiten New Yorker Vorlesung ein Manifest über Poesie als Utopie, das dank der erhaltenen Tonbandaufzeichnung als Original-Lesung in deutscher Sprache vorhanden ist.

Nach einem abgebrochenen Germanistikstudium und einer frühen Tätigkeit als Reisejournalist verzichtete Max Frisch Mitte der dreißiger Jahre zunächst auf das eigene Schreiben. Zwanzig Jahre später gab er jedoch den Architektenberuf auf, um freier Schriftsteller zu werden. In der Nachkriegszeit war ihm das Schreiben zur existentiellen Notwendigkeit geworden, wobei die Sprache als Mittel zur Selbsterkenntnis und zum Dialog fungierte.

Die in den Vorlesungen zitierten fragmentarischen Überlegungen über das Schreiben erfahren während des dreißigjährigen Schriftstellerlebens zwar Variationen, aber keine wesentlichen Änderungen. Da das Lebendige unsagbar sei, könne man nur darum herumschreiben. Da Deskription nicht ausreiche, brauche man zur Annäherung an die Wirklichkeit die Fiktion – eine Maxime, die Frisch Mitte der sechziger Jahre auf die Spitze treibt, um Mitte der siebziger Jahre festzustellen, Fiktion allein genüge nicht. Zur Entdeckung der Realität bedürfe es nämlich des magischen Impulses der Imagination, der Transformation des Unsagbaren ins Poetische: in Bilder, Rhythmen oder Szenen, die haftenbleiben. Mit der Entscheidung für den Schriftstellerberuf habe er nicht einfach nur den »Job« gewechselt. Damit ist er wieder bei seinem Ausgangspunkt, und so schließt sich der Kreis der ersten Vorlesung.

Im Rückblick auf die späten sechziger Jahre distanziert sich Max Frisch jetzt von der damals in Europa vom Künstler geforderten gesellschaftlichen Verantwortung, die er sich selbst zeitweise zu eigen gemacht habe. Kunst solle nach wie vor politisch sein, allerdings nur indirekt, keinesfalls didaktisch. Ein politischer Text aus dem *Tagebuch 1966-1971* wird in diesem Sinne für unliterarisch erklärt und die Ohnmacht des Schriftstellers mit der Wirkungslosigkeit eines Friedensaufrufs aus der Nachkriegszeit belegt. Verantwortung gegenüber der Gesellschaft sei eine Aufgabe jedes Bürgers. Das bedeute nicht, Literatur habe affirmativ zu sein, aber sie benötige keine außerkünstlerische Legitimation.

Das immer wieder dargestellte Scheitern seiner literarischen Figuren betrachtet Frisch im Rückblick als eine implizite Klage über die Diskrepanz zwischen dem, was Menschsein ist, und dem, was es sein könnte. Für den Leser wie für den Schriftsteller komme es auf die eigene Erfahrung an, jenseits der Herrschaftssprache. In diesem Sinne solle Literatur revoltieren.

In einem New Yorker Bericht über einen Besuch in der Leningrader Eremitage findet Frisch seine Ansichten vom utopischen Charakter der Literatur und von der Kunst als Gegen-Position zur Macht bestätigt. Als »Poesie« bezeichnet er jetzt die mit den Erfahrungen des Schriftstellers gesättigte Dichtung, und er schließt seine Vorlesungen mit einem poetischen Manifest ab, das er in Anlehnung an den russischen Maler Kasimir Malewitsch *Schwarzes Quadrat* nennt und in dem er Literatur als »Durchbruch zur genuinen Erfahrung unsrer menschlichen Existenz in ihrer geschichtlichen Bedingtheit« definiert.

Max Frisch hat seine gerade zitierte Definition von Literatur bereits im März 1978 leicht variiert vorgebracht: In einem Fernsehdisput über Literatur und Politik mit dem Schweizer Bundesrat Kurt Furgler spricht er von der »Poesie als Durchbruch der genuinen Erfahrung von der menschlichen Existenz«. Auch andere Teile des späteren Manifests tauchen hier erstmals auf. Etwa, daß die Poesie uns betroffen mache, aufreiße und uns dort treffe, wo wir in Selbstverständlichkeiten versteinern; daß sie, im Gegensatz zur Politik, keine Maßnahmen ergreife; es ihr vielmehr genüge, wenn sie da sei als Ausdruck des profunden Ungenügens und einer profunden Sehnsucht, die alle haben. An anderer Stelle des Gesprächs hatte der Autor dem Politiker gegenüber auf der Trennung zwischen Literatur und Publizistik, zwischen der Arbeit des Poeten und der journalistischen Aktion des Staatsbürgers bestanden.

Das Wort »genuin« benutzt Frisch 1981 im Kontext seines staatsbürgerlichen Engagements, und zwar zur Erklärung der Zürcher Jugendunruhen: als Wille, sinnvoller zu leben, als Frustration über eine Lebensform, in der das Leben auf komfortable Art öde wird, als Ablehnung der Eingewöhnung in eine immer sinnleerere Lebensform.

In einem Vortrag aus dem Jahre 1979 über die politische Repression wird der Poet, im Unterschied zum Politiker, aufgrund seines Interesses an der Wahrheit auch als »Intellektueller« definiert. Obwohl ihm von Frisch eine beträchtliche Intelligenz attestiert wird, scheide Kurt Furgler seiner Meinung nach hier aus. Ein anderer Bundesrat, Willy Ritschard, habe wohl aus dieser Einsicht heraus einen Poeten engagiert: Peter Bichsel, für den Frisch im August 1981, parallel zu den Vorlesungen, eine Laudatio zur Einführung in das Amt des Stadtschreibers von Bergen-Enkheim schreibt, in der er das »poetische Zögern, wo die andern im Vorurteil ihre Ruhe und Ordnung finden«, als subversiv bezeichnet.

Poesie und Utopie sind zwei Seiten derselben Medaille. Auf die Frage, ob er selbst ein Poet sei, geht Max Frisch in seinen Vorlesungen nicht ein.

Erste Vorlesung

THE WRITER'S JOURNEY: FROM IMPULSE TO IMAGINATION

Es wird anstrengend sein für Sie, ich weiss, wegen meiner englischen Aussprache, manchmal auch belustigend. Damit wir uns hin und wieder erholen können, werde ich ziemlich viele Zitate verwenden; diese Zitate werden Sie in perfekter Aussprache hören.

Um es sofort zu sagen:
Ich habe keine Theorie.
Es gibt eine Auswahl von faszinierenden Ästhetik-Theorien: von Aristoteles bis Roland Barthes, nicht zu vergessen die marxistischen Denker: Walter Benjamin, Lukács, Adorno usw. Ob eine Theorie uns bei der Arbeit hilft oder nicht, entscheidet nicht über ihren Wert. Das weiss ich. Aischylos und Sophokles haben nicht bei Aristoteles gelernt, wie man Tragödien schreibt ...
Um nicht missverstanden zu werden:
Ich habe nichts gegen Theorien.
Ich habe nur selber keine.

Ab und zu, als Ausnahme von der Regel, kommt es vor, dass eine Theorie entwickelt wird von Leuten, die selber Kunst produzieren. Zum Beispiel: Brecht. Seine Theorie des Epischen Theaters hat viele seiner Schüler in die Sackgasse geführt, so auch mich. Seine Theorie war richtig für Brecht, aber nicht für jedermann. Das war unser Missverständnis. Er war kreativ genug, um sich seiner Theorie dialektisch zu widersetzen. Er brauchte sie als Widerstand, so schien es mir später, wie er auch den marxistischen Katechismus gebraucht hat als Widerstand für sein Genie.
Ein andrer Fall ist Robbe-Grillet:
Sie erinnern sich an die Theorie des NOUVEAU ROMAN?
Sie ist bestechend; die paar Romane, die diese Theorie hätten bestätigen sollen, sind unerheblich und langweilig.
Theorie ist kein Rezept.
Und hier kommt schon mein zweites Geständnis:
Ich habe auch kein Rezept –

Ich danke Mister Brody, der das alles nicht hat wissen können, für seine generöse Einladung, die

mich gezwungen hat zu überlegen, warum ich eigentlich Schriftsteller geworden bin.
Ich brauchte keinen Job –
Ich war Architekt.

Im Grunde ist alles, was wir in diesen Tagen aufschreiben, nichts als eine verzweifelte Notwehr, die immerfort auf Kosten der Wahrhaftigkeit geht, unweigerlich; denn wer im letzten Grunde wahrhaftig bliebe, käme nicht mehr zurück, wenn er das Chaos betritt – oder er müsste es verwandelt haben.[1]

Das ist eine Notiz aus dem Jahr 1946 nach der Besichtigung der zerstörten Städte in Europa. Schreiben als Notwehr gegen die Erfahrung der Ohnmacht.

Erst in Zeiten, wo die Arbeit uns wieder verlassen hat, zeigt es sich deutlicher, warum man, wenn irgend es geht, überhaupt arbeitet; es ist das einzige, was uns am Morgen, wenn man jäh und wehrlos erwacht, vor dem Schrecken bewahrt; was uns in dem Labyrinth, das uns umgibt, weitergehen lässt; es ist der Faden der Ariadne –.
Ohne Arbeit:
Das sind die Zeiten, wo man kaum durch die Vorstädte

gehen kann, ohne verbraucht zu werden von dem Anblick ihrer formlos wuchernden Versteinerung. Die Art, wie ein Mensch isst oder lacht, einer, der uns nichts angeht; die Art, wie einer in der Strassenbahn jedes Mal vor der Türe stehen bleibt, wenn andere aussteigen wollen, es kann uns an der Menschheit verzweifeln lassen, und irgendein nächster Fehler, ein eigener, bringt uns vollends um die Zuversicht, dass es ein Gelingen jemals geben kann. Das Grosse und das Kleine unterscheiden sich nicht mehr; beides ist einfach nicht leistbar. Das Masslose der Angst. Erschlagen stehen wir vor jeder Nachricht von Elend, von Unordnung, von Lüge, von Unrecht –

Anderseits:

Wenn auch nur die Form eines einzelnen Satzes gelingt, der scheinbar nichts mit allem gemein hat, was ringsum geschieht – wie wenig das Uferlose uns anhaben kann, das Gestaltlose im eigenen Innern und rings in der Welt! Das menschliche Dasein, plötzlich erscheint es lebbar, ohne weiteres, wir ertragen die Welt, sogar die wirkliche, den Blick in den Wahnwitz: wir ertragen ihn in der wahnwitzigen Zuversicht, dass das Chaos sich ordnen lasse, fassen lasse wie einen Satz, und die Form, wo immer sie einmal geleistet wird, erfüllt uns mit einer Macht des Trostes, die ohnegleichen ist.[2]

Auch eine Notiz aus dem Jahr 1946. Schreiben als Therapie für das schreibende Subjekt. Eine autistische Position, das muss ich zugeben. Und was versteht dieses Subjekt unter Schreiben?

Was wichtig ist: das Unsagbare, das Weisse zwischen den Worten, und immer reden diese Worte von den Nebensachen, die wir eigentlich nicht meinen. Unser Anliegen, das eigentliche, lässt sich bestenfalls umschreiben, und das heisst ganz wörtlich: man schreibt darum herum. Man umstellt es. Man gibt Aussagen, die nie unser eigentliches Erlebnis enthalten, das unsagbar bleibt; sie können es nur umgrenzen, möglichst nahe und genau, und das Eigentliche, das Unsagbare, erscheint bestenfalls als Spannung zwischen diesen Aussagen. Unser Streben geht vermutlich dahin, alles auszusprechen, was sagbar ist; die Sprache ist wie ein Meissel, der alles weghaut, was nicht Geheimnis ist, und alles Sagen bedeutet ein Entfernen. Es dürfte uns insofern nicht erschrecken, dass alles, was einmal zum Wort wird, einer gewissen Leere anheim fällt. Man sagt, was nicht das Leben ist. Man sagt es um des Lebens willen. Wie der Bildhauer, wenn er den Meissel führt, arbeitet die Sprache, indem sie die Leere, das Sagbare, vortreibt gegen das Geheimnis, gegen das Lebendige. Immer besteht die Gefahr, dass man das Geheimnis zerschlägt, und eben-

so die andere Gefahr, dass man vorzeitig aufhört, dass man es einen Klumpen sein lässt, dass man das Geheimnis nicht stellt, nicht fasst, nicht befreit von allem, was immer noch sagbar wäre, kurzum, dass man nicht vordringt zu seiner letzten Oberfläche.
Diese Oberfläche alles letztlich Sagbaren, die eins sein müsste mit der Oberfläche des Geheimnisses, diese stofflose Oberfläche, die es nur für den Geist gibt und nicht in der Natur, wo es auch keine Linie gibt zwischen Berg und Himmel, vielleicht ist es das, was man die Form nennt? Eine Art von tönender Grenze –.[3]

Ich habe keine Theorie, das stimmt, keine Theorie des Romans oder des Dramas. Das heisst nicht, dass man sich keinerlei Gedanken macht über seine Arbeit. Aber es bleiben fragmentarische Gedanken. Sie streben ein System nicht einmal an: Ein System erhebt immer den Anspruch, dass ich mich ihm unterwerfe, und das ist offenbar genau, was ich, als Schriftsteller, von Anfang an nicht gewollt habe:

Vom Sinn eines Tagebuches:
Wir leben auf einem laufenden Band, und es gibt keine Hoffnung, dass wir uns selber nachholen und einen Au-

genblick unseres Lebens verbessern können. Wir sind das Damals, auch wenn wir es verwerfen, nicht minder als das Heute –

Die Zeit verwandelt uns nicht.

Sie entfaltet uns nur.

Indem man es nicht verschweigt, sondern aufschreibt, bekennt man sich zu seinem Denken, das bestenfalls für den Augenblick und für den Standort stimmt, da es sich erzeugt. Man rechnet nicht mit der Hoffnung, dass man übermorgen, wenn man das Gegenteil denkt, klüger sei. Man ist, was man ist. Man hält die Feder hin, wie eine Nadel in der Erdbebenwarte, und eigentlich sind nicht wir es, die schreiben; sondern wir werden geschrieben. Schreiben heisst: sich selber lesen. Was selten ein reines Vergnügen ist; man erschrickt auf Schritt und Tritt, man hält sich für einen fröhlichen Gesellen, und wenn man sich zufällig in einer Fensterscheibe sieht, erkennt man, dass man ein Griesgram ist. Und ein Moralist, wenn man sich liest. Es lässt sich nichts machen dagegen. Wir können nur, indem wir den Zickzack unsrer jeweiligen Gedanken bezeugen und sichtbar machen, unser Wesen kennen lernen, seine Wirrnis oder seine heimliche Einheit, sein Unentrinnbares, seine Wahrheit, die wir unmittelbar nicht aussagen können, nicht von einem einzelnen Augenblick aus –.[4]

Ich habe Ihnen versprochen, dass ich ziemlich viele Zitate vorlesen lasse, damit meine Aussprache Sie nicht ermüdet. Natürlich gibt es noch einen andern Grund dafür. Was ich vorlesen lasse, sind nicht Gedanken von jetzt und ich brauche nicht damit einverstanden zu sein ...
Sie wollen wissen, wie ich heute dazu denke?
Das möchte ich auch wissen ...
Das ist ein seltsames Phänomen: indem wir schreiben, lösen sich Gedanken von uns ab, auch Bilder. Sie liegen herum. Wie Objekte. Sie können mir missfallen, wenn ich sie zufällig sehe, oder sie können mich überzeugen: als hätte ich das nicht selber gedacht.
Verstehen Sie, was ich meine?
Der Schriftsteller, im Gegensatz zu den meisten andern Menschen, kann sich nicht entfliehen: er hat seinen Steckbrief selber verfasst.
Das nebenbei –
Wovon wollten wir reden?

Zum Beispiel:
Von der Unerlässlichkeit der Erfindung (*fiction*).

Vor Jahren habe ich als Architekt eine jener Fabriken besucht, wo unsere glorreichen Uhren gemacht werden; der

Eindruck war niederschmetternder als jemals in einer Fabrik, aber noch in keinem Gespräch ist es mir gelungen, gerade dieses Erlebnis, eines der stärksten, dermassen wiederzugeben, dass es sich auch im Zuhörer herstellte. Es bleibt, unausgesprochen, stets belanglos oder unwirklich, wirklich nur für den Betroffenen, unsäglich wie jedes persönliche Erlebnis – oder richtiger: jedes Erlebnis bleibt im Grunde unsäglich, solange wir hoffen, es ausdrücken zu können mit dem wirklichen Beispiel, das uns betroffen hat. Ausdrücken kann mich nur das Beispiel, das mir so ferne ist wie dem Zuhörer: nämlich das erfundene. Vermitteln kann wesentlich nur das Erdichtete, das Verwandelte, das Umgestaltete, das Gestaltete – weswegen auch das künstlerische Versagen stets mit einem Gefühl von erstickender Einsamkeit verbunden ist.[5]

Wenn diese paar Sätze nicht geschrieben worden wären, so dass man sie mir vorlesen kann vor Gericht, so könnte ich schwören, dass ich das soeben gedacht habe, und dabei sind diese Wörter genau zweiunddreißig Jahre alt.
Ist das nicht schrecklich?
Zur Sache selbst:
Dass Deskription nicht ausreicht –

Auschwitz ist noch und noch beschrieben worden, und wenn jemand käme, der einiges davon gelesen hat und ehrlich genug wäre, um zu sagen, dass er sich Auschwitz nicht vorstellen kann, so würde ich ihm eine kürzere Erzählung von Kafka geben:
IN DER STRAFKOLONIE.
Die Wahrheit kann man nicht beschreiben, nur erfinden.

Dass Deskription nicht ausreicht, gilt schon im harmlosen Fall.

Man kann alles erzählen, nur nicht sein wirkliches Leben; – diese Unmöglichkeit ist es, was uns verurteilt zu bleiben, wie unsere Gefährten uns sehen und spiegeln, sie, die vorgeben, mich zu kennen, sie, die sich als meine Freunde bezeichnen und nimmer gestatten, dass ich mich wandle, und jedes Wunder (was ich nicht erzählen kann, das Unaussprechliche, was ich nicht beweisen kann) zuschanden machen – nur um sagen zu können: »Ich kenne dich.«[6]

Man kann alles erzählen, nur nicht sein wirkliches Leben ... Daraus ist ein langer Roman geworden,

STILLER, dessen englische Ausgabe leider gekürzt ist und zwar blödsinnig, und was noch blödsinniger ist: ich habe das damals autorisiert. Weil ich offenbar das Buch nicht verstand. (»Der Autor ist nicht gehalten«, schreibt Adorno, »sein eigenes Werk zu verstehen.«) – immerhin ist der Schlüsselsatz nicht gestrichen:
»Ich habe keine Sprache für die Wirklichkeit.«
Natürlich hat sie niemand, aber der Schriftsteller ist sich bewusst, dass er sie nicht hat, und genau dieses Bewusstsein macht ihn zum Schriftsteller. Das tönt paradox. Ich glaube, in meinem Fall trifft es zu ...
In einem späteren Roman heisst der Schlüsselsatz:
»Ich probiere Geschichten an wie Kleider.«
Es bleibt uns nur die Fiktion.

Ich sitze in einer Bar, Nachmittag, daher allein mit dem Barmann, der mir sein Leben erzählt. Warum eigentlich? Er tut's, und ich höre zu, während ich trinke oder rauche. So war das! sagt er, während er die Gläser spült. Eine wahre Geschichte also. Ich glaub's! sage ich. Er trocknet die gespülten Gläser. Ja, sagt er nochmals, so war das! Ich trinke – ich denke: Ein Mann hat eine

Erfahrung gemacht, jetzt sucht er die Geschichte seiner Efahrung.
(Das tun wir alle.)

Man kann nicht leben mit einer Erfahrung, die ohne Geschichte bleibt, und manchmal stelle ich mir vor, ein andrer habe die Geschichte meiner Erfahrung.
Ich stelle mir vor: – [7]

Man kann das auch anders sagen:
Die Fiktion entlarvt unsere Erfahrung der Realität.
Ich behaupte:
Wenn Sie mir nichts von Ihrem Leben erzählen, nichts von der Not mit dem Vater oder was immer es sei, nichts von alledem, keine Memoiren – wenn Sie, stattdessen, nur fantasieren und wenn ich von Ihnen siebenundsiebzig Geschichten gehört habe, traurige und lustige, lauter erfundenes Zeug, so haben Sie von Ihrer wirklichen Person mehr verraten, als wenn Sie, und sei es noch so ehrlich, Ihre Biographie erzählen.
Ich meine:
Es gibt keine Fiktion, die nicht auf Erfahrung beruht.

THE WRITER'S JOURNEY
Der Titel stammt nicht von mir.
Ich nehme ihn wörtlich:
Eines Tages, 1974, genau zwanzig Jahre nach der Behauptung, dass er nicht Stiller sei, mietet der Schriftsteller einen Wagen in Manhattan und macht eine Journey nach Long Island, Montauk, genau gesagt, und dort bleibt er plötzlich stehen im Wind, die Hände in den Hosentaschen, mit wenig Haaren im Wind und nachdenklich:

Immer öfter erschreckt mich irgendeine Erinnerung, meistens sind es Erinnerungen, die eigentlich nicht schrecklich sind; viel Bagatellen, nicht wert, dass ich sie erzähle in der Küche oder als Beifahrer. Es erschreckt mich nur die Entdeckung: Ich habe mir mein Leben verschwiegen. Ich habe irgendeine Öffentlichkeit bedient mit Geschichten. Ich habe mich in diesen Geschichten entblösst, ich weiss, bis zur Unkenntlichkeit. Ich lebe nicht mit der eignen Geschichte, nur mit Teilen davon, die ich habe literarisieren können [...] Es stimmt nicht einmal, dass ich immer nur mich selbst beschrieben habe. Ich habe mich selbst nie beschrieben. Ich habe mich nur verraten.[8]

Es wird Zeit, die Frage an Sie zu richten.
Wenn Sie eine creative-writing-class besuchen in der Hoffnung, ein etablierter Schriftsteller könne Ihnen den Trick verraten, wie man Fiktion fabriziert: – warum denn, for heaven's sake, wollen Sie auch Fiktion fabrizieren? Das ist eine erlaubte Frage. Um viel Geld zu verdienen? Dann empfehle ich Ihnen den Waffenhandel. Warum Geschichten erzählen? Sie werden sagen: Es macht Spass. Ich habe auch schon darüber nachzudenken versucht.

Unsere Gier nach Geschichten, woher kommt sie? Man kann die Wahrheit nicht erzählen. Das ist's! Die Wahrheit ist keine Geschichte, sie hat nicht Anfang und Ende, sie ist einfach da oder nicht. Sie ist ein Riss durch die Welt unseres Wahns: eine Erfahrung, aber keine Geschichte. Alle Geschichten sind erfunden ... Jeder Mensch, nicht nur der Schriftsteller, erfindet seine Geschichten – nur dass er sie, im Gegensatz zum Schriftsteller, für sein Leben hält ...
Was wir haben:
Ein Muster unsrer Erfahrungen.
Erfahrung ist ein Einfall. Sie ist nicht das Ergebnis aus einer Geschichte. Es ist umgekehrt, glaube ich. Die Ge-

schichten sind das Ergebnis unsrer Erfahrung. Die Erfahrung will sich lesbar machen. Die Geschichte, die unsere Erfahrung auszudrücken vermag, braucht nie geschehen zu sein, aber damit man unsere Erfahrung versteht und glaubt und damit wir uns selber glauben, sagen wir: So ist es gewesen! Eine Erfahrung, die sich nicht abbildet, ist kaum zu ertragen. Deswegen erfindet jeder Mensch sich eine Geschichte, die er dann, oft unter gewaltigen Opfern, für sein Leben hält. Nur der Schriftsteller glaubt nicht daran. Indem ich weiss, dass jede Geschichte, wie sehr ich sie auch belegen kann mit Fakten und Daten und Namen von Orten, meine Fiktion ist, bin ich Schriftsteller.[9]

Was keine ungefährliche Art der Existenz ist.

In Europa wird der Schriftsteller oft gefragt: Was haben Sie mit diesem Roman oder mit diesem Stück denn sagen wollen?
Das verdanken wir unsern Schulen:
Ich erinnere mich, wie ich als Schüler aufgerufen wurde und sagen sollte, was Johann Wolfgang Goethe oder so einer mit seinem Gedicht meint.
Und ich erriet, was der Lehrer meinte.

Wer zur Kunst keine naive Beziehung hat, das heisst, wer nur durch Edukation dazu gebracht worden ist, Kunst für eine ernste Sache zu halten, wird sich nie damit abfinden, dass das Kunst-Werk mehr ist als ein Anlass zur Interpretation. Es ist eine Existenz per se. Übrigens habe ich selber lange gebraucht, um zu wissen, dass Kunst nicht die Aufgabe hat, der Welt einen Sinn zu unterstellen, den sie, als Ganzes, seit dem sechsten Schöpfungstag nicht hat.

Was ich habe sagen wollen:
Was mich beim Schreiben interessiert, sind nicht meine Meinungen, sondern das Schreiben: die Konfrontation mit der Sprache.
Auch die Story interessiert mich wenig.
Ob der Held umkommt oder nicht umkommt –
Ich kann ihm beides erlauben.
Konfrontation mit der Sprache:
Indem wir Sätze schreiben, Sätze, wie die Grammatik sie anbietet, und unglücklich sind über diese Sätze, weil sie sich überhaupt oder zu wenig decken mit der Erfahrung, die zum Schreiben drängt, zwingt uns die Sprache, unsere Erfahrungen zu entdecken oder mindestens zu

suchen. Das ist die Arbeit, nicht selten eine ›Trauerarbeit‹. Schreibend, auf der Suche nach dem Satz, der in der Wortwahl und in seinem Rhythmus endlich unsrer Erfahrung entspricht, entdecken wir, wie wir die Welt und uns selber wirklich erleben. Und das kann abenteuerlich sein. Oft geht es ja nur um eine Nuance. Die Sätze auf dem Papier, die mein Einverständnis finden, zeigen zum Beispiel, dass ich eine Nuance naiver bin, als ich gemeint habe, oder ziemlich viel zynischer, als ich mich gebe, oder ein gläubiger Mensch usw. Wo unser Schreiben nicht zur Selbst-Erfahrung führt, entsteht keine Literatur, glaube ich, es entstehen nur Bücher.

THE WRITER'S JOURNEY

Inzwischen ahnen Sie, was ich Ihnen schuldig bleiben werde: eine literarhistorische Vorlesung. Das liefern andere Leute so viel besser. Ich bin als Schriftsteller eingeladen, und die Egozentrik der Schriftsteller, sobald es sich um Schriftstellerei handelt, soll nicht vertuscht werden.

FROM IMPULS TO IMAGINATION

Ich frage mich, ob nicht beides zusammenfällt. Ich weiss: Es sind immer Bilder gewesen, die das

Schreiben ausgelöst haben. Oft ein ganz nebensächliches Bild, das später verschwindet; es diente als Verlockung, als Köder ...
Ich weiss nicht, was ich schreiben werde.
Manchmal sage ich Freunden, was ich schreiben werde, und das ist gefährlich: wenn ihnen nämlich die Idee gefällt, so halte ich mich zu lange an die Idee.
Wie arbeiten andere?
Es soll Schriftsteller geben, die nicht zu schreiben beginnen, bevor sie einen fertigen Plan haben. Wie ein Architekt. Oder wie man so sagt: sie haben ihren Roman im Kopf.
Vor allem Dilettanten lieben diese Vorstellung.
Was ich im Kopf habe, ist das Chaos.
Wie hat Brecht gearbeitet?
Ich habe ihn gesehen (1948 in Zürich) vor einem graphischen Schema an der Zimmerwand: da konnte er, die Zigarre im Mund, in aller Ruhe sehen, wie lang oder kurz die Szenen sein sollen, die er zu schreiben hat. Später habe ich gesehen, wie er nach einer Theater-Probe sein Bier nicht austrank, er musste rasch nachhause, um eine Szene zu schreiben, die im Schema nicht vorgesehen war. Er blieb spontan ... Wie Inge-

borg Bachmann gearbeitet hat, weiss ich nicht, obschon wir, als Frau und Mann, fünf Jahre zusammen gelebt haben; die schriftstellerische Arbeit ist eine sehr intime Angelegenheit ... Ein andrer, den ich persönlich gekannt habe, Friedrich Dürrenmatt, hat gesagt: Man muss sich seinen Einfällen aussetzen. Gemeint ist: der Einfall hat ein Eigenleben, das erst beim Schreiben erkennbar wird. Schreiben als Konflikt zwischen Plan und Spontaneität. Tatsächlich kommt es nicht selten vor, dass ein Werk, ein vielversprechendes, scheitert, weil wir den Plan, der durch das Schreiben überholt wird, nicht aufgeben können zu Gunsten eines Wagnisses. Einfälle haben viele; Talent heisst unter anderem: Sensibilität im Umgang mit dem vorhandenen Einfall.
(Jetzt rede ich wie ein Lehrer!)
Was die Imagination betrifft:
Ich habe Scheu vor diesem Wort. Was heisst es genau? Imagination ist mehr als Fantasie. Ein Mann wie Präsident Reagan, so vermute ich, ist frei von Imagination, was aber nicht heisst, dass er keine Fantasie habe; Fantasie hatte auch Hitler ...
Albert Einstein hatte Imagination.

Imagination entdeckt die Realität.
Kafka hat Imagination.
Und Imagination hatte Kassandra.
Und Franz von Assisi, mag sein.
Und Picasso.
Samuel Beckett in seinem Anfang.
Strindberg litt unter Imagination.
Usw.
Ich habe Scheu vor diesem großen Wort und rede lieber über die Impulse und gestehe, dass die Frage WARUM SCHREIBEN SIE mich immer erschreckt. Wenn es hinreissend wäre, was ich schreibe, so würde man das ja nicht fragen. Also heisst die Frage: Warum gehen Sie nicht in den Wald und fällen Bäume? Meistens fragen Leute, die selber schreiben möchten, aber sie wagen nicht, ihren MOBY DICK zu schreiben oder ein kürzeres Meisterwerk, bevor sie wissen, warum ich schreibe ...
Offenbar sind das keine Schriftsteller.
Sie möchten bloss berühmt werden.
Das reicht als Impuls nicht aus.

Die Frage, warum ich schreibe, hat sich mir selber nie gestellt. Ich erinnere mich: es waren Gedichte von Mörike,

Stücke von Shakespeare und von Henrik Ibsen, die ich, als Fünfzehnjähriger, überhaupt nicht verstanden habe, aber ich hatte Lust, auch so etwas zu machen.
Nachahmungstrieb.
Ich meinte, das könne jedermann.
Spieltrieb:
Wie man bastelt; wie man einen Draht in die Hand nimmt und ihn biegt nach Lust und Laune; wie man mit dem Finger in den Schnee zeichnet ohne Zweck, Lust an Figuren, Lust am Spiel, Freiheit durch Spiel.
Hinzu kommt etwas anderes:
Die frühe Erfahrung, dass alles Natürliche vergeht. Es verwelkt, es verfault. Und daher das Bedürfnis, die Vergänglichkeit aufzuhalten, indem man abbildet, was man liebt, ein Mädchen zum Beispiel. Ich erinnere mich an die euphorische Erwartung: Wenn ich ein Mädchen zeichnen kann, so gehört es mir!
Das war allerdings nicht der Fall.
Offenbar reichte mein Talent nicht aus, aber ich machte weiter, was die Höhlenbewohner machten in Altamira: sie bilden ab, was sie sich wünschen, die schöne Beute, oder was sie fürchten, das böse Tier. Um es zu bannen. Wie es in unserer Sprache heisst: Man malt den Teufel an die Wand. Um ihn zu erkennen und zu bannen.
Ein magischer Impuls.

Goethe ist nicht der einzige Schriftsteller, der sich vor Selbstmord bewahrt hat, indem er seinen WERTHER schrieb und ihm den jugendlichen Selbstmord überliess. Schreiben als Notwehr.
Es sind verschiedene Impulse, die sich vermischen, sicher gehört dazu auch die Eitelkeit, die Versuchung, dass man schreibt, um in der Öffentlichkeit zu sein ... Später ist man bestürzt, wenn man sein Publikum sieht, und möchte vor Scham versinken. Wie kommt der Schriftsteller dazu, seine Scham zu überwinden und Regungen öffentlich preiszugeben, die er unter vier Augen noch nie ausgesprochen hat?
Offenbar kommt noch etwas hinzu:
Bedürfnis nach Kommunikation.
Man möchte gehört werden. Man möchte wissen, ob man anders ist als alle andern. Man gibt Zeichen von sich, um zu erfahren, ob wir einander verstehen. Man ruft aus Angst, allein zu sein im Dschungel der Unsagbarkeit. Man hat Durst nicht nach Ehre, aber nach Partnerschaft. Man hebt das öffentliche Schweigen auf, das Schweigen über unsere Wünsche und Ängste. Indem man schreibt, bekennt man sich, auch wenn man nicht von sich selber schreibt. Man gibt sich preis, um einen Anfang zu machen ...[10]

So viel zu meinen Impulsen.
Kein Schriftsteller, glaube ich, schreibt für die Sterne. Sonst brauchten wir das ganze Unwesen der Verlage nicht, die vom Schriftsteller erwarten, dass er für das Publikum schreibt. Auch das ist nicht der Fall. Ich meine, der Schriftsteller schreibt in erster Linie einmal für sich selbst: im Bezug zu Menschen, die er sucht als seine Partner. Was man als den Stil eines Schriftstellers bezeichnet, ergibt sich aus dem Bezug zu einem erfundenen Partner. Das heisst: welche Art von Partner er sich erfindet, ist entscheidend für seinen Stil. Muss ich dem Leser beweisen, dass ich auch gescheit bin, oder halte ich ihn für dümmer, sodass ich ihn belehren muss? Beides führt nicht zu einem Stil der Kommunikation ...
Tolstoi, zum Beispiel, behandelt mich als Partner.
Andere behandeln mich als Publikum.
Sie machen Faxen, um mir zu imponieren ...
Das ergibt keine Kommunikation, nur Lektüre.
Kommt es zur Kommunikation, indem der Schriftsteller mit dieser oder jener Not oder Hoffnung, die ihn zur Darstellung treibt, offenbar nicht allein ist, so bleiben die Folgen nicht aus, die er, als er seinen naiven Impulsen folgte, nicht erwartet hat:

er hat eine Wirkung, ob es ihm passt oder nicht, und damit eine gesellschaftliche Verantwortung. Wie verhält er sich dazu?
Das ist das Thema der zweiten Vorlesung.

Nun sehe ich, dass ich fast nichts gesagt habe über Imagination. Dass Imagination mehr ist als Fantasie, das ist bekannt – allerdings ist es nicht immer leicht zu unterscheiden, wenn Sie selber schreiben: ob es Imagination ist, was da entsteht, oder bloss Fantasien ...
Wenn wir andere lesen, sehen wir klarer.
Es gibt Texte, die uns auf Anhieb verblüffen (sagen wir) durch Surrealismus. Sehr brillante Texte. Was diesem Schriftsteller alles einfällt! Wir staunen mindestens bei jeder dritten Zeile und Staunen ist ein Vergnügen. Wie sich später zeigt: ein flüchtiges Vergnügen. Ein halbes Jahr später weiss ich nur noch: Ein brillanter Text, das müssen Sie lesen, ich erinnere mich an Champagner, sparkling von Fantasie.
Der Gegensatz dazu:
Imagination bleibt haften.
(Wie etwas, was uns persönlich zugestossen ist.)
Als ich DIE VERWANDLUNG von Kafka zum

ersten Mal gelesen habe, war ich Student, jemand gab mir das Büchlein, die Erstausgabe, Franz Kafka war nicht ein Name, den Millionen kennen, die nie ein Buch von ihm gelesen haben. Und ich wusste nichts von den großen Romanen, nicht einmal dass es sie gab – nur dieses Büchlein: *Franz Kafka DIE VERWANDLUNG Eine Erzählung* ... Anderes was ich damals gelesen habe, zum Teil habe ich es vergessen, zum Teil weiss ich nur noch, dass ich das und das gelesen habe, Ehrenwort! – TONIO KRÖGER zum Beispiel, so eine berühmte Erzählung ... Hingegen die absurde Geschichte von einem, der eines Morgens, als er aufwacht wie eh und je, ein Käfer ist, das hat sich eingeprägt: als eine Erfahrung, die da ist, auch wenn ich nicht an Literatur denke.

Ein Kennzeichen der Imagination:

Dass sie uns nie wieder loslässt; was sie uns eröffnet hat, bestimmt unsere psychische Entwicklung, unser Verhältnis zur eigenen Existenz.

(Ich spreche als Leser.)

In dem Beispiel, das ich genannt habe, manifestiert sich die Imagination hauptsächlich in der Story. Das gleiche würde gelten für MOBY DICK – es gilt kaum für WOYZECK, das dramatische Frag-

ment, das Georg Büchner hinterlassen hat und das für mich ebenfalls zu den Werken gehört, die mehr sind als Bestandteil meiner literarischen Kenntnis.
Woyzeck:
Ein armer Teufel, Soldat, Knecht in Uniform, gehetzt und ausgebeutet, der erste Proletarier in der deutschen Literatur, greift zum Messer, als er sieht, dass nicht einmal seine Geliebte ihm gehört, sondern dem Vorgesetzten, und er ersticht nicht den Vorgesetzten, sondern seine Geliebte – eine traurige Story, eine realistische Story, eine von Tausenden, die wir hören und vergessen. Was ich nicht loswerde, ist in diesem Fall nicht die Story. Was ich nicht loswerde und ein für allemal höre, seit ich dieses dramatische Fragment gelesen und auf der Bühne gesehen habe, ist die Sprachlosigkeit der menschlichen Kreatur –
Wie lässt sich Sprachlosigkeit zeigen durch Sprache?
Georg Büchner, zum Beispiel, ist es gelungen.
Seine Imagination manifestiert sich szenisch.

Wir brauchen dasselbe Wort (imagination) in unserer Sprache: *Imagination*. Image heisst *Bild*. Wenn

wir Imagination buchstäblich übersetzen: *Einbildung.* Dieses Wort gibt es in der deutschen Sprache, aber es wird nicht gebraucht, um zu sagen, dass etwas Unsagbares sich umsetzt in ein Bild. (*Bild*, was etwas anderes ist als ein *Abbild.*) Und oft ist es nicht ein Bild, was uns das Unsagbare vermittelt, sondern ein Rhythmus ... IMAGINATION, als Lehnwort aus dem Lateinischen, hat eine klangliche Interferenz:
magisch, Magie.
Und Imagination ist ein magischer Akt.
Nicht herstellbar durch Intelligenz.
Die Bewunderung für Poeten beruht sicher nicht auf der Annahme, dass der Poet intelligenter sei als Leonid Breschnew, zum Beispiel, oder Mr. Haig Jr. Das nicht. Sie beruht auf Verwunderung – nichts weiter – der Poet kann auch ein gefährlicher Bursche sein oder ein Irrer, aber offenbar hat er Beziehung zu einer Art von Engeln, die ihm geben, was keine Schule geben kann –
Zum Beispiel einen Rhythmus:
»Von diesen Städten wird bleiben,
der durch sie hindurchging,
der Wind.«
Das war der junge Brecht.

Meine Scheu, über Imagination zu reden, hat einen einfachen Grund, den Sie sicher erraten haben; ich fürchte Ihre Frage: Glauben Sie, Herr Frisch oder Max, dass Sie selber Imagination haben? ... Das frage ich mich selber (nicht bei einem dinner-in-honor-of, sondern zum Beispiel im Pyjama morgens um vier Uhr, wenn ich in der Küche einen Apfel esse und nicht einmal sicher bin, ob es heute oder gestern ist oder morgen.)
Fiktion ist noch lange nicht Imagination.
Schreiben ohne Imagination ist ein Job. Ein guter, aber ein Job. Wenn es aber nur ein Job ist, dann wäre ich eigentlich lieber Schreiner.

Zweite Vorlesung

THE WRITER AND HIS PARTNERS / THE FUNCTION OF LITERATURE IN SOCIETY

In der ersten Vorlesung habe ich versucht die Impulse zu nennen, die zur Produktion von Literatur führen. Es sind gleichzeitig mehrere und verschiedenartige Impulse, meine ich, wobei einmal der eine dominiert, einmal der andere ... Der NACHAHMUNGSTRIEB schwindet bald und endgültig, indem wir erwachsen werden. Wenn Sie zehn Jahre lang geschrieben haben, wird es fast unmöglich, jemand nachzuahmen, den man bewundert; es wird zur Parodie. Und vielleicht schwindet der SPIELTRIEB auch zeitweise; Schreiben wird Fronarbeit. Ich habe den Eindruck, dass der SPIELTRIEB, einer der allerersten Impulse, in späten Jahren wiederkommt und sogar dominant werden kann. (Thomas Mann, so habe ich gehört, habe sich fast etwas geschämt, dass er mit achtzig Jahren seinen spielerischen FELIX KRULL schrieb.) Als wesentliche Impulse nannte ich den Drang, die Vergänglichkeit aufzu-

heben durch Abbildung (Kunst als Widerstand gegen den Tod alles Natürlichen) und den anderen Drang, der zu den ersten artistischen Manifestationen der Menschheit geführt hat: die Dämonen zu bannen, indem man sie an die Wand seiner Höhle malt (die magische Beschwörung), und schliesslich das Bedürfnis nach Kommunikation, die der gesellschaftliche Umgang nicht herstellt, eine Kommunikation durch Fiktion, denn nichts bringt unsere Sehnsucht oder unsere Angst untrüglicher zum Ausdruck als unsere Fiktionen. Insofern entspricht die Kunst-Arbeit immer auch einem Bedürfnis nach Selbsterkenntnis –
Was ich mit Sicherheit weiss:
Ich bin nicht Schriftsteller geworden aus Verantwortung gegenüber der Gesellschaft.

THE FUNCTION OF LITERATURE IN SOCIETY
Ob in diesem Land so viel darüber diskutiert und postuliert worden ist wie in Europa vor allem in den Sechzigerjahren, wo kaum noch von Kunst als Kunst geredet worden ist, sondern nur noch von ihrer geforderten Funktion in der Gesellschaft, weiss ich nicht ... Das Schlimmste, was

man über einen Schriftsteller sagen konnte: seine Literatur sei privat, sein Roman oder sein Gedicht trage nichts bei zur Veränderung der Gesellschaft.
Dieser Vorwurf hat mich erschreckt.
Ich bin Sozialist.
(Als Demokrat.)
Die Meinung, man könne sich der Politik entziehen, indem man Künstler ist, habe ich früh verloren. Das war vielleicht die Meinung von Wilhelm Furtwängler, der in Nürnberg, während die Rassen-Gesetze in Kraft gesetzt worden sind, die »Eroica« von Beethoven dirigiert hat. Ich glaube, es war die »Eroica«, sicher grossartig dirigiert.
Allgemein gesprochen:
Wer von Politik nichts wissen will, hat seinen politischen Beitrag schon geleistet: er dient der jeweils herrschenden Partei und diese weiss es zu schätzen, dass ein Künstler sich für apolitisch hält.
Seine Kunst ist affirmativ.
Und das ist schon eine Funktion ...

Wenn wir diese Affirmation nicht liefern wollen, weil wir eine Veränderung der Gesellschaft für dringlich halten, so stellt sich natürlich die Frage:
WAS VERMAG LITERATUR?
Ein Verantwortungsbewusstsein des Schriftstellers (als Schriftsteller) gegenüber der Gesellschaft kann es vernünftigerweise nur geben, wenn die Literatur etwas vermag.
Ist das der Fall?

Nützlich wäre jetzt ein Katalog aller Fälle, wo eine direkt-politische Wirkung von Literatur oder Kunst nachgewiesen ist. Ein solcher Katalog ist schwieriger zu machen, als ich gedacht habe ...
DIE HOCHZEIT DES FIGARO, meines Erinnerns war das in Neapel: aus dem Opernhaus springt der revolutionäre Funke auf die Strasse, das Volk marschiert und macht Geschichte. Wunderbar! Die Oper gab aber nicht das Pulver, sondern nur das Streichholz im rechten Augenblick.
Welche andern Beispiele fallen Ihnen ein?
ONKEL TOMS HÜTTE.
Und weiter?
Ich glaube, wir brauchen diesen Katalog nicht ...

Warum habe ich Brecht nie gefragt: Glauben Sie denn im Ernst, dass Ihr Stück MUTTER COURAGE irgendeine Regierung veranlassen wird, einen Krieg zu unterlassen, wenn Krieg wieder einmal als das einzige Mittel erscheint, um den Mächtigen im Land, die nur noch mit Patriotismus zu ertragen sind, ihr Macht-Privileg zu erhalten?

Vielleicht hätte Brecht sogar geantwortet:

(Nicht feierlich, etwas ungeduldig und soweit es möglich ist, ohne die Zigarre aus dem Mund zu nehmen, etwas grinsend, ärgerlich über meine Naivität.)

Mein Stück ist für die Soldaten geschrieben, damit sie langsam wissen, wofür sie sich Generation um Generation schlachten lassen und andere schlachten.

Hat sein Stück die Soldaten erreicht?

Brecht ist ein Klassiker.

Als ich das Stück zuletzt auf der Bühne gesehen habe, PICCOLO TEATRO DI MILANO, eine hinreissende Inszenierung von Giorgio Strehler, sass im Parkett die High-society von Milano: viel Gold, Diamant, Nerz etc., und das war genau, was Brecht verflucht hat: kulinarisches Theater –

WAS VERMAG LITERATUR?
Lassen Sie mich die Frage verschieben und einen andern Einstieg suchen, wie der Titel ihn anbietet:
THE WRITER AND HIS PARTNERS

Der erste kreative Akt, den der Schriftsteller leistet, meistens ohne sich dessen bewusst zu sein, ist die Erfindung eines Lesers, seines Lesers. Viele Bücher missraten nur schon darum, weil sie ihren Leser nicht erfinden, sondern sich nur dem Publikum anbieten. Das ergibt nie eine Partnerschaft. Was der Schriftsteller, wenn er schreibt, sich unter seinem Leser vorstellt: wie viel Verstand ich ihm zutraue, wie viel Respekt ich habe vor seinen Erfahrungen, die ich nicht kenne, und wie viel Treue ich aufbringe zu diesem Partner, den ich nicht als leibhaftige Person sehe, und wie viel Geduld, ohne in meiner Schreibweise herablassend zu werden oder patronisierend, und wie viel Skepsis von seiner Seite ich aushalte, wie viel Partnerschaft – das ist für den Schriftsteller eine Frage auf Gedeih und Verderb. Das Talent, conditio sine qua non, genügt noch nicht –[11]

Was aber, wenn wir wirkliche Leser haben?

Man ist bestürzt, wenn man Publikum sieht, und möchte vor Scham versinken. Wie kommen wir dazu, uns derart preiszugeben, und was stellt sich ein Mensch, wenn er schreibt, unter Öffentlichkeit vor? Sicherlich nicht eine öffentliche Versammlung. Sicherlich nicht das Publikum, das man im Foyer eines Theaters sieht. Was haben denn wir, das reale Publikum und ich, der ein Stück geschrieben hat, miteinander zu schaffen?[12]

Was ich zitiere, eine öffentliche Rede 1958, die ersten Reflexionen zu der Erfahrung, dass Öffentlichkeit einerseits, vom Schriftsteller aus gesehen, eine fiktive Instanz ist, andrerseits eine historische Realität. Die deutsche Öffentlichkeit ist eine andere als die schweizerische, die Öffentlichkeit 1938 eine andere als 1958. Und zu meinen, dass unsere Produktion nicht von der realen Öffentlichkeit geprägt werde, wäre eine Illusion.

Ihre Feindlichkeit, zum Beispiel, macht unseren Stil vorsichtig, und es schärfen sich uns, angesichts einer solchen Öffentlichkeit, die Waffen der Ironie. Das Bewusstsein, dass die Öffentlichkeit unser Gegner wäre, wenn sie uns verstünde, verfeinert den Stil erheblich. Ihre Freundlichkeit, andrerseits, macht uns bequem ... Das Schlimm-

ste ist wohl die gleichgültige Öffentlichkeit, die überhaupt nicht zuhört, die nicht daran denkt, eine Partnerschaft mit uns anzutreten – sie lässt uns schreiben, ja, sie liest uns sogar: zur Unterhaltung. Auch das prägt die Art meines Schreibens: ihre Gleichgültigkeit macht mich aggressiv, ich werde laut, der Stil vergröbert sich und wird rechthaberisch.[13]

Man würde annehmen, dass ein Schriftsteller, wenn er lang lebt, sich an die Öffentlichkeit gewöhnt. Ist das so? Ich frage mich, was sich mit den Jahrzehnten verändert ...
Man wird weniger verletzbar.
Man nimmt auch Lob weniger ernst.
(Ich sage nicht, dass man es nicht braucht.)
Vor allem:
Es entsteht tatsächlich ein Bewusstsein von Verantwortung, das ich nicht hatte, als ich zu schreiben angefangen habe, und das Schreiben wird nicht leichter ...
Öffentlichkeit als Partner.
Was erwartet dieser Partner von uns?

Diskussion mit der Studentenschaft beider Hochschulen. [...] Auch die Studenten, zeigt sich bald, erwarten von

einem Schauspiel, dass es eine Lösung liefere. Das kommt immer wieder; Bedürfnis nach Führung. Und wenn man eine liefern würde? Zum Beispiel: Geht hin und verschenkt, was ihr besitzt, verzichtet auf eure Vorrechte, zieht hinaus und tut, wie Franziskus getan hat. Was würde geschehen? Nichts. Was wäre gewonnen? Man wüsste: der Autor ist offenbar ein Christ. Schön von ihm; im übrigen ist das natürlich seine Sache. Und in der Tat, das ist es auch! Die Lösung ist immer unsere Sache, meine Sache, eure Sache.
Henrik Ibsen sagte:
»Zu fragen bin ich da, nicht zu antworten.«
Als Stückschreiber hielte ich meine Aufgabe für durchaus erfüllt, wenn es einem Stück jemals gelänge, eine Frage dermassen zu stellen, dass die Zuschauer von dieser Stunde an ohne eine Antwort nicht mehr leben können – ohne ihre Antwort, ihre eigene, die sie nur mit dem Leben selber geben können.[14]

WAS VERMAG LITERATUR?
Ich weiche der Frage nochmals aus.
LITERATURE AND SOCIAL CONSCIOUSNESS
So lautet der Titel für das Symposion.
Wir nennen es: Politisches Bewusstsein.

Ende April 1967
Militär-Putsch zur Verhinderung demokratischer Wahlen in Griechenland. König Konstantin, aus dem Bett geholt zur unterschriftlichen Genehmigung des Umsturzes, soll gezögert haben, bis die Königinmutter, die deutschstämmige, dem jungen Monarchen dann Beine gemacht hat. Papandreou und andere Politiker verhaftet, Deportationen, Liquidation des Rechtsstaates mit der Begründung: Kommunistische Gefahr. Alles wie gehabt, Militär-Junta zwecks Ruhe und Ordnung, die gewählten Parteien verboten zwecks Vaterland. Volk läuft nach Piräus und hofft auf die 6. amerikanische Flotte im Mittelmeer, die in Sicht vor Anker liegt: keine militärische Einmischung in die inneren Angelegenheiten eines Landes mit amerikanischen Investitionen. (Unsere NEUE ZÜRCHER ZEITUNG, ebenfalls ohne sich einzumischen in die inneren Angelegenheiten eines Landes mit schweizerischen Investitionen, gibt zu bedenken, dass die Wahlen, demnächst fällig, tatsächlich eine Mehrheit der sozialistischen Parteien hätten bringen können; man muss die Offiziere schon auch verstehen.) Ergebnis: eine faschistische Diktatur als NATO-Mitglied. Fotos: Griechisches Volk ohnmächtig vor NATO-Tanks unter griechischer Flagge.[15]

Das ist nicht Literatur, das ist nur das Tagebuch eines Schriftstellers, das zeigt, wie er als Staatsbürger reagiert auf ein Ereignis – und es ist Ausdruck seiner politischen Ohnmacht:
Als Schriftsteller …
Was können wir machen?
Wir unterzeichnen Aufrufe …

»Die unterzeichneten Schriftsteller, die sich in Zürich begegnet sind, stellen fest, dass die Existenz zweier verschiedener ökonomischer Systeme in Europa für eine neue Kriegspropaganda ausgenutzt wird. Nicht nur besorgt um das Schicksal ihrer Länder, sondern der ganzen Welt, bitten sie die Schriftsteller aller Nationen, den beiliegenden Aufruf mit zu unterschreiben und in seinem Sinne zu wirken.«
Die erste Gruppe, entstanden aus einer zufälligen Begegnung, besteht aus sieben Leuten; trotz einem amerikanischen Pass, einem Staatenlosen und einem Schweizer ist es vorläufig eine sehr deutsche Stimme, die sich erhebt, soll aber eine Weltstimme sein. Jeder wird versuchen, durch persönliche Briefe um weitere Unterschriften zu werben, damit schon die erste Gruppe einen weiteren Rahmen hat; ich unternehme die Werbung unter meinen Landsleuten. Vor allem müsste es natürlich ge-

lingen, Schriftsteller aus dem Westen und aus dem Osten zu vereinigen. Wenn nur die Hälfte unterzeichnet, hat der Aufruf überhaupt keinen Sinn, von Wirkung ohnehin zu schweigen. Versichert nicht jede Seite, dass sie den Frieden will? Freilich nicht den Frieden mit dem Gegner, und damit wird das Wort zur platten Kampflüge; was heisst denn Friede, wenn nicht Friede mit dem Gegner? Langsam merken wir schon, wo der Haken liegt; das Gespräch wird trockener; eine schöne Wallung, ein männlicher Ernst, der zur Füllfeder hat greifen lassen, ein gewisser Rausch, der sich bei solchen Anlässen sogar der lebenslänglichen Spötter bemächtigt, ist verebbt, bevor die letzte Unterschrift ganz trocken ist –

Der Aufruf würde lauten:

»Die Erwartung eines neuen Krieges paralysiert den Wiederaufbau der Welt. Wir stehen heute nicht mehr vor der Wahl zwischen Frieden oder Krieg, sondern vor der Wahl zwischen Frieden oder Untergang. Den Politikern, die das noch nicht wissen, erklären wir mit Entschiedenheit, dass die Völker den Frieden wollen.«[16]

Das war im November 1947.

Eigentlich sind solche Appelle schon ein öffentliches Eingeständnis, dass wir mit unsrer Literatur keine Macht haben.
Die Bankiers, zum Beispiel, machen keine Appelle.
Wir geben also zu:
Die unterzeichnenden Schriftsteller haben ein politisches Bewusstsein, aber sie glauben selber nicht, dass sie mit ihren Büchern irgend etwas verhindern können in dieser Welt, zum Beispiel den Krieg.
Und trotzdem schreiben wir weiter ...

In Ihrem Land, so habe ich den Eindruck, ist die Versuchung gering, von der Literatur eine direktpolitische Wirkung zu fordern, auch nur zu erhoffen. Ich habe noch nie gelesen, dass einem amerikanischen Schriftsteller der gänzliche Mangel an politischem Bewusstsein vorgeworfen wird –
Einige haben ein politisches Bewusstsein
(Lilian Hellmann, Arthur Miller etc.)
Andere eben nicht.
Es gab Agitprop-Songs, ich weiss –
Ich will sagen, dass der Begriff, den Jean-Paul Sartre nicht bloss formuliert hat, sondern reprä-

sentiert in Werk und Biographie, der Begriff der LITTÉRATURE ENGAGÉE, wahrscheinlich für amerikanische Schriftsteller nicht so verführerisch ist wie für uns. Das ist mir bewusst. Ich spreche aber als europäischer Schriftsteller, als Schweizer geprägt von der europäischen Tradition. LITTÉRATURE ENGAGÉE, ein neuer Name für eine lange Tradition, nicht nur eine französische, eine deutsche auch, eine schweizerische: Jeremias Gotthelf war Pfarrer und predigte und predigte, ein Epiker *par hasard et par génie*, und Gottfried Keller, ein Grosser des deutschsprachigen Romans, war sicher nicht frei von politischer Absicht –

Ein andres Beispiel mag Ihnen vertrauter sein:
Die geschichtliche Situation, die ein Poet wie Majakowsky vorgefunden hat, die Russische Revolution in ihrem Anfang, hat ihn bestimmt, der Revolution seine Poesie zu schenken.
Er sang die Hoffnung auf diese Revolution.
Das ist nicht unsere Situation heute –
Einige von uns (in Europa, meine ich) sind trotzdem der Versuchung zeitweise erlegen: um die Existenz der Kunst in einer kapitalistisch-pragmatischen Gesellschaft zu legitimieren, haben wir

uns auf eine direkt-politische und didaktische Literatur verpflichtet.
Braucht Kunst eine Legitimation?
(Ausser dass sie sich als Kunst qualifiziert.)
Beckett ist ein großer Poet, obschon er, als Citoyen damals ein Mann der Résistance, sich in seinem ganzen Werk nie politisch äussert, und Brecht, obschon er das reichlich getan hat, ist ein grosser Poet.

WAS VERMAG LITERATUR?
Sie sehen, die Frage ist wie im Central Park ein herrenloser Hund, den man nicht mehr loswird, und jetzt versuche ich es noch einmal, irgendein Wort weit in die Gegend zu werfen, damit dieser Hund mich verlässt und es sucht und vielleicht nicht zurückkommt –
Zum Beispiel das Wort:
UTOPIE.

Meine Literatur, ich gebe es zu, ist meistens traurig. So viele gescheiterte Typen, vor allem übrigens Männer. Stiller, Faber, Graf Öderland (ein Staatsanwalt, der zur Axt greift und zum Massenmörder wird), Kürmann und wie sie alle heissen;

ihre Geschichten zeigen dem Leser durchaus nicht, wie man mit dem Leben fertig wird.
Und auch der Mann in einer Erzählung, die ich in diesem Sommer geschrieben habe, geht kaputt, genau gesagt: er fährt gegen einen Baum, das gelingt ihm.
Was hat der Leser davon!
Eine Frage, die ich mir beim Schreiben nicht stelle ...
Im Nachhinein meine ich:
Ein Roman, der eine tödliche Ehe darstellt, zum Beispiel, oder eine andere allgemeine Misere, zum Beispiel die Frustration durch entfremdete Arbeit in unsrer Industrie-Gesellschaft, ist eine Klage; jede Klage geht davon aus, dass das Leben anders sein sollte. Wie? Das sagt die Literatur nicht. Das sagen uns nur die Ideologen. Was unsere Literatur liefert: das Bekenntnis zur Trauer, die Einladung zum Protest. Die Literatur liefert (implizite) die Utopie, dass Menschsein anders sein könnte.
UTOPIE.
Das ist das Wort, das mein Hund zurückbringt.

Die Wahrhaftigkeit der Darstellung, und wäre es auch nur eine Ehe, was da zur Darstellung gelangt, oder die ungeheuerliche Deformation des Menschen, der von Staates wegen hat töten müssen, eines Soldaten also – gleichviel wo die Wahrhaftigkeit der Darstellung geleistet wird, sie macht uns einsam, aber sie ist das einzige, was wir zu leisten haben: Bilder, nichts als Bilder und immer wieder Bilder, verzweifelte oder unverzweifelte, Bilder der menschlichen Kreatur, solange es sie gibt.[17]

Ich sage nicht, dass Literatur nichts vermag.
Ich meine:
Sie vermag mehr, wenn sie nicht direkt-politisch ist.

General Franco hat vierzig Jahre lang geherrscht. Das GUERNICA-Bild von Picasso hat ihn nicht im mindesten daran hindern können. Kunst ist keine Gegen-Macht. Das GUERNICA-Bild, berühmt wie der Gekreuzigte Jesus von Grünewald, hing in New York, während der sterbende Franco seine letzten Todesurteile unterzeichnete, und trotzdem ist das GUERNICA-Bild vehement. Kunst ist keine Gegen-Macht, sondern eine Gegen-Position zur Macht und nur von daher ist sie vehement.

Dass ich heute, im Gegensatz zu früheren Jahren, eine direkt-politische Literatur für ein Missverständnis halte, eine Fehlleistung meines politischen Commitments, das tönt wie Resignation, ich weiss.
Ist es Resignation?
Ich glaube nur nicht an eine Wirkung durch direkt-politische Literatur; ich brauche nur die Zeitung zu lesen, um Schlag auf Schlag zu sehen, dass die politische Aufklärung, die solche Literatur in allen Ländern zu leisten versucht, nichts erreicht. In gewissen Ländern erreicht sie, dass sie verboten wird. Und wo sie nicht verboten wird, weil sie nichts erreicht, regieren die gleichen Lügen wie eh und je.
Es kommt etwas hinzu:
Ich habe mehr und mehr den Verdacht, dass das überlieferte politische Vokabular überhaupt nicht herankommt an die politischen Phänomene von heute. Das ist verbraucht. Das redet an einer neuen Realität vorbei. Und das gilt nicht nur für das marxistische Vokabular. Auch das Vokabular des kapitalistischen Liberalismus (Freiheit als heiliges Recht auf Ausbeutung der menschlichen Arbeitskraft durch das Kapital) reicht heute noch

für jemand who is running for president; es reicht nicht zur Analyse der gesellschaftlichen Konflikte, die mit Rüstung nicht zu lösen sind ...
Was soll der Schriftsteller mit dieser Sprache?

»Geht einmal euren Phrasen nach bis zum Punkt, wo sie verkörpert werden. Blickt um euch, das alles habt ihr gesprochen.«[18]

So sagt es Georg Büchner, der Verfasser des WOYZECK, das deutsche Genie einer LITTÉRATURE ENGAGÉE, seine Parole: *»Friede den Hütten, Krieg den Palästen!«*, so dass er aus seinem Land fliehen musste.

»Unter meinem Fenster rasseln beständig die Kanonen vorbei, auf den öffentlichen Plätzen exerzieren die Truppen, und das Geschütz wird auf den Wällen aufgefahren ... das Ganze ist doch nur eine Komödie. [...] Der König und die Kammern regieren, und das Volk klatscht und bezahlt.«[19]

Das war vor hundertfünfzig Jahren etwa.

»Ich habe mich seit einem halben Jahr vollkommen überzeugt, daß nichts zu tun ist und daß jeder, der im Augen-

blick sich aufopfert, seine Haut wie ein Narr zu Markte trägt.«[20]

Das ist die Verzweiflung des Schriftstellers, ausgesprochen von einem Genie, das im Exil gestorben ist mit dreiundzwanzig Jahren, Georg Büchner, der gewusst hat, was er von der Literatur erwartet:

»Ich verlange in allem Leben, Möglichkeit des Daseins, und dann ist's gut; wir haben nicht zu fragen, ob es schön, ob es häßlich ist. Das Gefühl, daß, was geschaffen sei, Leben habe, stehe über diesen beiden und sei das einzige Kriterium in Kunstsachen.«[21]

In der ersten Vorlesung habe ich versucht zu sagen, dass die Konfrontation mit der Sprache uns zwinge, die eigene Erfahrung kennen zu lernen, und das heisst: immer wieder zu entdecken, dass wir die Welt anders erleben, als die konventionelle Sprache es behauptet.
WAS WÄRE OHNE LITERATUR?
Jedes gesellschaftliche System, ob ein feudales oder liberales, entwickelt eine Sprache, die das System bis in die Nebensachen hinein affirmiert.

Eine Herrschaftssprache, nicht nur von der herrschenden Schicht gesprochen, als Alltagssprache, die wir lernen als Kind und lebenslänglich gebrauchen, ohne zu wissen, dass sie uns mit Vorurteilen füllt. Mit Redensarten: Ein armer, aber ehrlicher Mann! Vielleicht ist der Mann in dieser Gesellschaft darum arm, weil er ehrlich ist. Warum sagen wir also nicht: Ein reicher, aber ehrlicher Mann? Das sagt man nicht ... Diese Sprache, die aus einer Summe von Redensarten besteht und Klischees, geprägt von den Interessen der herrschenden Schicht, diese Sprache, die wir in der Schule lernen als die einzig richtige Sprache, ist aber nicht unbedingt die Sprache unsrer Erfahrung. Sie entfremdet uns also von unsern Erfahrungen. Viele erleben nicht so, wie diese Sprache es behauptet. Wie *man* es sagt. Da viele aber nicht sagen können, wie sie erleben, fühlen sie sich verpflichtet, so zu erleben, wie diese Herrschaftssprache es der schweigenden Mehrheit vorschreibt. Wie *man* erlebt. Die Herrschaftssprache hat die Tendenz, uns zu entmündigen, um uns verfügbar zu machen. Sie kastriert uns politisch Tag für Tag –
Was Literatur leistet:

Sie übernimmt keine Klischees (oder sie denunziert das Klischee) und sucht die Kongruenz zwischen Sprache und Erfahrung, die sich ändert. Vor einem Krieg und nach einem Krieg empfinden wir manches etwas anders. *»Blickt um euch«*, sagt Georg Büchner in seinem DANTON-Drama, *»das alles habt ihr gesprochen.«* Der Schriftsteller blickt um sich. Indem er den Redensarten eine andere Sprache entgegensetzt, die Sprache seiner Erfahrung, entlarvt er die Herrschaftssprache als Herrschaftssprache, als Trug-Sprache – und darin sehe ich schon eine politische Relevanz der Literatur, aller Literatur, auch wenn ein Roman oder ein Gedicht sich nicht mit einem gesellschaftlichen Thema befasst.

THE FUNCTION OF LITERATURE IN SOCIETY

Warum lese ich Literatur?
Darauf gäbe es viele Antworten –
Eine davon:
Es kommt vor, dass ihre Sprache mich befreit. Sie befreit mich zum Zweifel, ob ich denn weiss, wie ich dies oder das wirklich erlebe. Sie nimmt mir die Redensart im Umgang mit mir selbst

weg. Mag sein, sie macht mich zuerst sprachlos, indem Literatur mich entdecken lässt, dass ich mit lauter Redensarten lebe. Und das heisst, dass ich nicht mich selber lebe. Auch wenn es mich wenig angeht, was der Schriftsteller da erzählt, er zeigt mir, dass es eine Sprache gibt, die unsere Erfahrungen aufbrechen kann, und das ist aufregend. Natürlich kann ich nicht seine Sprache übernehmen, aber seine Sprache gibt mir als Leser wenigstens den Mut, dass ich mich nicht vor mir selbst hinter die Redensarten verstecke. Sie fordert mich heraus. Kurz gesagt: sie revoltiert mich.
Wenn das nicht eintritt, ist Lesen überflüssig.

Was mich als Schriftsteller betrifft:
Ich empfinde es nicht als Resignation, wenn ich in den letzten Büchern (seit zehn Jahren etwa) keines von den Themen behandle, die mich in politischen Reden und politischen Artikeln beschäftigen, sondern beispielsweise von einem Mann erzähle, der fürchtet, dass er ein Lurch wird, und wissen möchte, was geschieht, wenn das Eis der Arktis schmilzt ...

Vor wenigen Tagen, hier in New York, erzählte mir jemand von seinem Besuch in der Eremitage zu Leningrad. Als Ambassador, der eben einen Handelsvertrag mit der Sowjetunion unterzeichnet hat, erlaubte er sich einen Wunsch: er wollte die Kunst sehen, die bekanntlich in der Eremitage versteckt ist und dem Volk nicht gezeigt wird. Werke der russischen Avantgarde von damals. Eine Funktionärin zeigte ihm dies und das, eine Kennerin. Sein letzter Wunsch: das Schwarze Quadrat von Malewitsch.[22] Warum das? Weil es das gibt, sagte der Ambassador, und es ist hier in der Eremitage. Aber das wollte man nicht aus dem Keller holen. Ein schwarzes Quadrat, das ist bekannt, kein Geheimnis. Schliesslich durfte der Ambassador es sehen für ein paar Minuten. Ein schwarzes Quadrat. Und sie begeisterten sich beide vor Malewitsch. Aber ich verstehe, sagte der Ambassador, ich verstehe, das würde dem sowjetischen Volk nichts bedeuten, sowenig wie dem schweizerischen, ein Quadrat und schwarz und weiter nichts, warum hängt ihr das nicht ein Mal neben die Gemälde des Sozialistischen Realismus, wo das sowjetische Volk sich erkennt bei der Arbeit für die Gesellschaft, und das Volk würde sehen, Malewitsch ist Quatsch! Die Dame hörte zu. Im Ernst, sagte der Ambassador, Sie brauchen doch Malewitsch nicht im Keller zu verstecken, das Volk würde ihn gar nicht ansehen! Die Dame lachte: Sie irren sich – das Volk könnte nicht verstehen, wozu dieses schwarze Quadrat, aber es würde sehen, dass es noch etwas anderes gibt als die Gesellschaft und den Staat.

DASS ES NOCH ETWAS ANDERES GIBT.
Das ist die Irritation.
KUNST ALS GEGEN-POSITION ZUR MACHT.

Hier haben wir ein Übersetzungs-Problem.
LITERATURE, in German: *Literatur.*
POETRY, in German: *Poesie.*
So weit, so gut.
Aber *Poesie* heisst in unserer Sprache noch etwas anderes. Wir brauchen es nicht nur als Bezeichnung einer Gattung: NOVEL, DRAMA, POETRY. Alles zusammen nennen wir *Poesie*, in früheren Zeiten sagte man: *Dichtung.* Die Bezeichnung betont den Unterschied zwischen Literatur und Publizistik. (Was auch eine ehrenwerte Sache ist, weiss Gott, wenn ich an die Veröffentlichung der

PENTAGON-PAPERS denke.) ... Was ist der Unterschied? – In Kürze kann ich es nur sagen mit Beispielen, die mir einfallen im Hinblick auf amerikanische Zuhörer. Die Memoiren von Henry A. Kissinger, zum Beispiel, bezeichnen wir in der deutschen Sprache nicht als *Literatur.* Es hat Staatsmänner gegeben, die Literatur hinterlassen haben, Julius Caesar zum Beispiel. Von Richard Nixon hat niemand es erwartet. Norman Mailers ARMIES IN THE NIGHT, ein Buch, that I like very much, würde ich als LITERATURE bezeichnen. Ein anderes Buch, that I love, ALICE IN WONDERLAND, würden wir bezeichnen als *Poesie.*

Sie wissen, was ich meine?

So darf ich das deutsche Wort gebrauchen – um diese zwei Vorlesungen zu beenden. Ich weiss, sie sind ziemlich wirr, und wenn man nicht gleichgültig ist, aber wirr, so hat man das natürliche Bedürfnis, ein Manifest zu liefern.

Lassen Sie es mich versuchen!

[Das Manifest wird zuerst in deutscher Sprache gelesen, dann in englischer Übersetzung.]

(Manifest)

NEW YORK 10031, November 81

– Die POESIE ist zweckfrei.
(Schon das macht sie zur Irritation.)
– Die POESIE muss kein Kabinett bilden, zum Beispiel, und muss nicht von einer analphabetischen Mehrheit gewählt werden.
– Die POESIE ist da oder manchmal auch nicht.
(Regierungen sind immer da.)
– Die POESIE kann ignoriert werden.
(Ohne dass die Polizei deswegen eingreift.)
– Die POESIE entsteht trotzdem da und dort.
– Die POESIE ist der Durchbruch zur genuinen Erfahrung unsrer menschlichen Existenz in ihrer geschichtlichen Bedingtheit. Sie befreit uns zur Spontaneität – was beides sein kann: Glück oder Schrecken.
(Regierungen wollen immer nur unser Glück.)
– Die POESIE macht uns betroffen.
(Lebendig.)
– Die POESIE unterwandert unser ideologisiertes Bewusstsein und insofern ist sie subversiv in jedem gesellschaftlichen System.
(Platon hat natürlich recht: der Poet ist als Staats-

bürger dubios, auch wenn er seine Steuern zahlt, auch wenn er als Soldat gehorcht, damit er nicht von seinen eignen Leuten erschossen wird; solange er aber nicht erschossen ist, bleibt er ein Poet.)

– Die POESIE muss keine Massnahmen ergreifen. (Sie muss nur Poesie sein.)
– Die POESIE findet sich nicht ab (im Gegensatz zur Politik) mit dem Machbaren; sie kann nicht lassen von der Trauer, dass das Menschsein auf dieser Erde nicht anders ist.
– Die POESIE sagt nicht, wohin mit dem Atom-Müll.
(Rezepte sind von ihr nicht zu erwarten.)
– Die POESIE ist arrogant.
(Sie entzieht sich der Pflicht, die Welt zu regieren.)
– Die POESIE ist unbrauchbar.
(Es genügt ihr, dass sie da ist: als Ausdruck unseres profunden Ungenügens und unsrer profunden Sehnsucht.)
– Die POESIE wahrt die Utopie.

Titel des Manifests: SCHWARZES QUADRAT.

Ladies and Gentlemen,
Die Funktion der Literatur in der Gesellschaft, meine ich, ist die permanente Irritation, dass es sie gibt. Nichts weiter. Jede Kollaboration mit der Macht, auch mit einer demokratischen Macht, endet mit einem tödlichen Selbstmissverständnis der Kunst, der *Poesie*. Ihr Ort ist nicht ein Foyer der CHASE MANHATTAN BANK. Dort wird sie zur Affirmation. Zur Dekoration der Macht. Das heisst, sie verkauft ihre Transzendenz:
Kunst als solche ist transzendent.
Wie Walter Benjamin es sagt:
Die Kunst als Statthalter der Utopie.

Anmerkungen

1 Vgl. Max Frisch: *Gesammelte Werke in zeitlicher Folge*, 7 Bände Frankfurt/M.: Suhrkamp Verlag, 1976, 1986 *(GW)* II, *Tagebuch 1946-1949*, S. 376

2 Vgl. GW II, *Tagebuch 1946-1949*, S. 381

3 Vgl. GW II, *Tagebuch 1946-1949*, S. 378 f.

4 Vgl. GW II, *Tagebuch 1946-1949*, S. 360 f.

5 Vgl. GW II, *Tagebuch 1946-1949*, S. 703

6 Vgl. GW III, *Stiller*, S. 416

7 Vgl. GW V, *Mein Name sei Gantenbein*, S. 8, 11

8 Vgl. GW VI, *Montauk*, S. 720

9 Vgl. GW IV, *Unsere Gier nach Geschichten*, S. 263

10 Vgl. Typoskript, Teil I, S. 27-29

11 Vgl. Typoskript, Teil II, S. 5

12 Vgl. GW IV, *Öffentlichkeit als Partner*, S. 244

13 Vgl. GW IV, *Öffentlichkeit als Partner*, S. 249 f.

14 Vgl. GW II, *Tagebuch 1946-1949*, S. 467

15 Vgl. GW VI, *Tagebuch 1966-1971*, S. 74 f.

16 Vgl. GW II, *Tagebuch 1946-1949*, S. 522 f.

17 Vgl. GW IV, *Emigranten*, S. 242

18 Vgl. GW IV, *Emigranten*, S. 236

19 Vgl. GW IV, *Emigranten*, S. 241

20 Vgl. GW IV, *Emigranten*, S. 232

21 Vgl. GW IV, *Emigranten*, S. 242

22 Der Maler Kasimir Malewitsch, geboren 1878 in Kiew, gestorben 1935 in Leningrad, lernte 1912 in Paris den Kubismus kennen, auf dessen Grundlage er den sogenannten Suprematismus entwickelte, eine Form der abstrakten Malerei, die sich auf geometrische Grundformen beschränkt.

Sein 1915 in Petrograd erstmals ausgestelltes Gemälde *Schwarzes Quadrat* war der Versuch, »die Kunst vom Gewicht der Dinge zu befreien«. Das schwarze Quadrat auf weißem Feld soll Ausdruck einer gegenstandslosen Empfindung sein, wobei das Quadrat für die Empfindung steht und das weisse Feld für das Nichts außerhalb dieser Empfindung.

Mark Jay Mirsky
Eine Diskussion

Max Frisch hielt seine Vorlesungen am City College of New York am 2. und 4. November 1981 im Rahmen der alle zwei Jahre stattfindenden »Jacob C. Saposnekow Lectures«. Vor ihm hatte das English Department Robert Graves, Arthur Miller und James Baldwin eingeladen. Am 5. November diskutierte Max Frisch mit sechs amerikanischen Autoren über Themen der Vorlesungen. Als Institutsangehöriger und Freund von Max Frisch, der zusammen mit seiner Frau Marianne Anfang der siebziger Jahre die Zeitschrift *Fiction* mitbegründet hatte, half ich bei der Vorbereitung. Der Organisator der dritten Veranstaltung war Donald Barthelme. Die weiteren Teilnehmer: Susan Sontag sowie zwei Kollegen vom *New Yorker*, Renata Adler (*Pitch Dark* [dt. Übersetzung: *Pechschwarz*], *Toward a Radical Middle*, *Speedboat* [dt. Übersetzung: *Das Rennboot*]) und Harold Brodkey. Barthelme selbst mußte wegen einer Lehrverpflichtung an der University of Texas einige Tage vor der Veranstaltung absagen. Überdies erkrankte am Tag vor der Diskussion Susan Sontag. Glücklicherweise konnte das Panel mit der Übersetzerin der Vorlesungen, der Autorin Lore Segal, und Cynthia Ozick ergänzt werden. Mit Ozick (*The Pagan Rabbi*, *Trust*) und Brodkey (*First Love and other Sorrows* [dt. Übersetzung: *Erste Liebe und andere Sorgen*]) bekam Frisch als Gesprächspartner zwei der angesehensten amerikanischen Autoren. Ein junger afroamerikanischer Autor, Wesley Brown (*Tragic Magic*), ehemaliger Student von Barthelme, nahm ebenfalls teil. Moderiert wurde die Gesprächsrunde von Angus Fletcher, einem angesehenen Kritiker.

Die Vorlesungen sollten auf dem Campus im kleinen Theater in Aaron Davis Hall stattfinden, wo im Laufe der Woche Frischs Stück *Biedermann und die Brandstifter* aufgeführt wurde. Das sogenannte B-Theater hatte etwa 200 Plätze, aber die Reaktion auf die Ankündigung der Vorlesungen von Max Frisch, dessen Bücher in den USA nicht auf den Bestsellerlisten standen, war so gewaltig, daß sie in das benachbarte Auditorium, mit 750 Plätzen, verlegt werden mußten.

Nach der zweiten Vorlesung fragte eine Hörerin Frisch, wie stark seine Schweizer Herkunft, die »schweizerische« Utopie sein Schreiben beeinflußt habe.

Frisch antwortete: »Ich kann Ihnen sagen: Sie liegen da vollkommen falsch! Ja, ich bin da geboren, in Zürich, und ich bin Schweizer, schön, richtig; aber ich lebe nicht nur dort. Ich lebe mit deutscher Literatur, mit Deutschen, Italienern und so weiter. So tönt es für mich, als würden Sie sagen: ›Sie von Houston Street, was meinen Sie?‹ Nun gut, heute morgen lebte

ich an der Spring Street. Na ja, was meint man an der Spring Street?
Im Ernst: Was mich erschreckt an meinem Land, das ich zu lieben versuche, ist das Fehlen einer Utopie. Utopie ist dort das gleiche Wort, es wird gebraucht für etwas, was nicht gemacht werden kann. Die pragmatische Haltung, die man jetzt hat, schon sehr lange. Es klappt, mehr oder weniger, indem sie andere Völker ausbeuten, und in Kombination mit internationalem Geld, amerikanischem Geld und so weiter, es klappt, wie wir wissen, aber sie haben keinen Traum. Sie haben keine Utopie. Gerade in der Schweiz gibt es kein utopisches Denken. Und die Schweiz betrachtet sich ja selbst nicht als eine Utopie, auch nicht als das Paradies, sondern als einen gut funktionierenden Klub, der nicht kritisiert werden möchte. – Darum habe ich hier eine Wohnung gesucht.«
In der Diskussion wurde angesprochen, was Frisch einen »Ozean« genannt hatte, der zwischen den amerikanischen und europäischen Vorstellungen über das Ziel von Literatur liege: die Literatur als Vermittlerin der Vision einer besseren Zukunft. Der Moderator Fletcher bemerkte: »Sie sprachen über ›littérature engagée‹, etwas sehr Europäisches, eine Tradition, die uns hier fehlt.«
Brodkey forderte von Frisch eine ausführlichere Beschreibung des Begriffs der Utopie. Es sei die Sehn-

sucht, meinte Frisch, nach etwas, das der Mensch noch nie erlebt habe, das er aber haben möchte. »Die Trauer darüber, daß es so ist, wie es ist, die Einladung, dagegen zu protestieren, impliziert die Sehnsucht, daß die Welt anders sein könnte, ein Paradies.« Und dies sei alles andere als töricht. Auf den Einwand: »Und wie werden wir das schaffen?« antwortete Frisch: »Wir werden es nicht schaffen. Die Sehnsucht gibt die Richtung an für das, was wir tun. Wenn unser Denken begrenzt würde durch ›Das schaffen wir, das schaffen wir nicht, das schaffen wir . . .‹, hätten wir keinen Hang zu etwas über uns Hinausreichendes.« Und nachdenklich: »Es ist nicht ganz weit weg vom religiösen Glauben.«
Brodkey unterbrach ihn: »Ja, aber Sie sagen immer noch nicht, wie es aussehen sollte; was Utopie ist.«
»Utopie ist der Name für alles, von dem ich weiß, daß es nicht da ist.«
»Geben Sie ein Beispiel.«
»Eine Befriedigung in der Arbeit, nicht nur für privilegierte Leute, Künstler, sondern daß der gewöhnliche Mensch zu diesem Punkt kommen könnte, wo Arbeit nicht nur Fron ist, um Geld zu verdienen, ohne Interesse an ihr, entfremdete Arbeit. Ich wüßte nicht, wie man das in unserer Industriegesellschaft vermeiden könnte, aber das würde die Utopie sein, den Ort zu finden, wo wir in unserer Arbeit Lebensbefriedigung erreichen.«

»Utopie«, fragte Lore Segal, »ist also per Definition etwas, das nicht geschehen wird?«
»Ja, aber es ist eine Richtung. Und das pragmatische Denken beschränkt unser Denken. Es ist antiphilosophisches Denken: ›Fragen Sie mich bitte nicht, ohne daß Sie eine Antwort haben.‹ Das kommt sehr stark in die Nähe von Dummheit.«
Danach wandte sich die Diskussion Harriet Beecher-Stowes Klassiker *Onkel Toms Hütte* zu. Das dort entworfene Bild der Skaverei trug zur moralischen Entrüstung bei, die mit zum Bürgerkrieg führte. Bedauerlicherweise ist es aber auch ein Buch voller Klischees, das, wie Wesley Brown bemerkte, »wie die Verfassung, besser gewesen wäre in einer Form mit besonderen Zusätzen«.
»Ich las es als Kind«, sagte Ozick. »Ich dachte, daß ich einen wunderbaren Roman las, der mir eine Moral beibrachte, die ich schon kannte. Ich erkannte sie jetzt wieder, schrie vor Schmerz mit den Opfern. Ich wußte nicht, daß es ein politisches Traktat war. Und ich bin sicher, daß viele Menschen, die es lasen, als es neu war, es auch nicht wußten.«
Frisch unterbrach: »Aber es war ein politisches Traktat. Es machte Sie auf etwas aufmerksam, das Sie vorher nicht wußten.«
»Aber es ist kein Traktat!« rief Ozick. Für sie liege dann eine Dichtung vor, wenn die Form, die Fragen und Antworten, die Beziehungen implizit sind, nichts

direkt erzählt werde; Literatur sei Andeutung oder es sei keine Literatur.
»Ausgenommen Brecht, er kann beides in einem«, erwiderte Lore Segal.
Frisch: »Ich denke immer noch, daß er ein großer, sehr großer Autor ist, aber ich meine, daß der Teil seiner Lyrik, der nicht direkt politisch war, der lebendigere Teil ist und auch lebendiger als einige seiner Stücke. Er hatte beides, wissen Sie, aber er war wirklich ein großer Lyriker und Poet, nicht nur ein polemischer Verseschreiber.«

(Aus dem Amerikanischen von Daniel de Vin)

Peter Bichsel
Einmal muß das Fest ja kommen

Mark Mirsky erzählt in seinem Text zu Frischs Vorlesungen von einer Hörerin, die nach der zweiten Vorlesung die Frage stellt, wie stark seine Schweizer Herkunft sein Schreiben beeinflußt habe. »Ich kann Ihnen sagen, Sie liegen da vollkommen falsch«, antwortete Frisch, »Nun gut, heute morgen lebte ich an der Spring Street. Na ja, was meint man an der Spring Street?« Ich nehme nicht an, daß ihm in Berlin oder Frankfurt eine ähnliche Antwort eingefallen wäre. Der Versuch, die Schweiz hinter sich zu lassen und sich New York als Heimat anzueignen, hat auch mit diesen Vorlesungen zu tun. Ich erinnere mich, wie mir Max Frisch damals erzählte, daß er sich nun doch entschieden habe, diese Vorlesungen am New York City College zu halten. Der Entscheid fiel ihm nicht leicht, er fühlte sich im aktiven mündlichen Englisch nicht sicher. Aber er war nun schon jahrelang damit beschäftigt, diese Sprache zu erobern – oder, anders gesagt, darauf zu warten, daß sie ihm endlich zufalle. Auch sein damaliger Entscheid, in New York seßhaft zu werden, hat zu einem guten Teil mit diesem Wunsch zu tun, wie sein Entscheid, sich in New York zu verlieben und mit einer Amerikanerin im Englischen zusammenzuleben. Hier nun in dieser Sprache aufzutreten war für ihn eine weitere Chance auf dem Weg zur sprachlichen Assimilation. Sein Weg nach New York war immer wieder auch der Weg in die Sprache dieser Stadt.

Die Sprache kannte er, er kannte sie recht gut – aber er konnte sie nicht. Er konnte sich in Englisch gut unterhalten, aber halt etwa so, wie Brecht sagte, er könne im Englischen nur sagen, was er könne, und nicht, was er wolle. Wir beherrschen die Sprache nicht, sie beherrscht uns – mitunter kann das ein recht angenehmes Gefühl sein.

Daß Frisch diese Sprache, in der er die Vorlesungen halten sollte, recht gut kannte, beeinflußte – davon bin ich überzeugt – bereits sein Schreiben. Er schrieb die Vorlesungen auf deutsch und ließ sie sich von Lore Segal übersetzen. Irgendwie ist das, was er hier schreibt, nicht ganz das Original. Da und dort habe ich den Eindruck, als schriebe er zum voraus eine Rückübersetzung aus dem Englischen. Das macht den Text formal spannend. Hier schreibt ein deutschsprachiger Autor die deutsche Vorlage für eine Übersetzung in eine Sprache, die er kennt und in der er auch gewillt ist zu leben. Er weiß mehr oder weniger, was in der fremden Sprache möglich ist oder unmöglich, er stellt sich während des Schreibens die Übersetzung vor. Zudem fürchtet er sich ein bißchen davor, diese Übersetzung selbst vortragen zu müssen. Er erwartet von der Übersetzerin also einfache, sprech-

bare Sätze und bietet ihr diese Sätze schon zum voraus auf deutsch an.
Die große Liebe Frischs zu New York, seine Affinität zu dieser Stadt, aber auch seine Schwierigkeiten, das Dilemma mit der Sprache, das Dilemma mit der Politik dieses Landes – dasselbe Dilemma wie mit der Politik seines anderen Landes –, irgendwie sitzt und lauert das alles im Formalen dieser beiden Texte, im apodiktischen Tonfall des poetischen Manifests zum Beispiel, dem Tonfall der politischen Grundsatzerklärung und – als gewünschte Nebenwirkung – auch dem Tonfall, der das Sprechen der fremden Sprache erleichtert.
Hätte Frisch seine Poetikvorlesungen für Zürich oder Frankfurt geschrieben, sie hätten einen ähnlichen Inhalt gehabt, aber nicht dieselbe Form, wobei diese Form nicht etwa Frisch nicht entsprechen würde – im Gegenteil, er freut sich sichtlich darüber. Die Schwierigkeit, beim Schreiben bereits die Rückübersetzung zu schreiben, drängte dem Ganzen eine Form auf, die dem Autor durchaus gelegen kam.
Als ich Max Frisch zum ersten Mal in New York besuchte – er wohnte an der Commerce Street in einem Backsteinhäuschen, das ihm die Tochter von Hugo von Hofmannsthal zur Verfügung stellte –, sagte er gleich am ersten Morgen: »Wir gehen spazieren.« Die erste Station war das »Bigelow«, der letzte richtige Drugstore von Manhattan, eine alte Drogerie

mit Coffeeshop – die bedienenden Männer schienen so alt und so müde wie das Lokal. Frisch frühstückte jeden Morgen hier, er war hier zu Hause, hier gehörte er dazu. Dann ging es mit der Subway hinunter nach South Ferry, mit der Fähre an der Freiheitsstatue vorbei nach Staten Island und gleich wieder mit der Fähre zurück nach Manhattan, und vor uns lag die Skyline der Stadt so, wie sie schon Einwanderer im frühen 20. Jahrhundert gesehen hatten. Frisch erzählte nicht viel von der Stadt, er zeigte nur auf die Dinge, forderte nicht zum Bewundern auf, aber er blieb stehen und bewunderte, er beschrieb die Stadt nicht, er machte sie mir vor, und er stand auf der Fähre ganz vorn in der Haltung eines Kapitäns und fuhr auf seine Stadt zu.

Ich kannte das bereits von Zürich. Wenn ich wieder einmal eine etwas abfällige Bemerkung über Zürich machte, kam von Frisch auch dieses: »Wir gehen spazieren«, ein Befehl, die Mütze aufgesetzt. Und auch hier in Zürich immer wieder dieselbe Route, dieselbe Handbewegung, die auf etwas aufmerksam machte, und dasselbe Staunen von Frisch, das zum Staunen aufforderte. Der Spaziergang in Zürich endete auf dem Lindenhof, und dort stand Max wieder wie auf der Fähre in New York als Kapitän über der Stadt und bot sie mir an mit einer großen Handbewegung. Der Lindenhof ist mir immer noch die heftigste Erinnerung an Max Fisch, an sein Staunen, an seine Liebe zu seiner Stadt. Und ich war inzwischen noch nie in New York, ohne am ersten Tag diesen Spaziergang, den Frisch mir beigebracht hatte, zu wiederholen, mich an sein Staunen zu erinnern und, ein bißchen, sein Staunen zu lernen.

Seine Stadt Zürich, seine Stadt New York? Mirsky berichtet, wie in der Diskussionsrunde die amerikanischen Literaten Frisch immer wieder eine Definition seines Begriffes von Utopie abverlangten. Und Frisch versuchte äußerst vorsichtig, den Begriff nicht allzusehr einzuschränken, ihn nicht mit Definitionen zu verletzen. Utopie – könnte das vielleicht das Staunen des Kapitäns bei der Einfahrt nach Manhattan sein, das Staunen über Zürich, das dem Lindenhof zu Füßen liegt.

Es gibt ein Gedicht von Ingeborg Bachmann, das Frisch ab und zu zitierte und daraus vor allem eine Zeile: »Einmal muß das Fest ja kommen.« Die Freiheit, daran glauben zu dürfen, war wohl immer wieder in New York etwas größer als in Zürich, und das Auf-sich-selbst-geworfen-Sein wohl auch. Das Dazugehören im Drugstore »Bigelow« war sicher etwas anderes als das Dazugehören in Zürich, es war das Dazugehören als Fremder, als Fremder in einer fremden Sprache.

Und zum Dazugehören zählt die Arbeit: Ich arbeite hier, ich bin hier zum Arbeiten. Ich bewunderte das bei Frisch immer wieder: Irgendwo ankommen,

Schreibmaschine organisieren und mit Schreiben beginnen, sich selbst vorerst mal beweisen, daß man zur Arbeit hier ist.

Frisch war 1951 ein erstes Mal in Amerika, für ein ganzes Jahr mit einem Stipendium. Das wenige, was ich zu wissen bekam darüber, waren Spuren in seinen Büchern, *Homo faber* zum Beispiel. Ich hätte immer wieder gern mehr darüber gewußt und ihn auch danach gefragt. Er erzählte nie davon. Die Reise blieb ohne Geschichten, ohne Biographie. Eine einzige Geschichte von damals erzählte er mehrmals, ein Treffen mit Arthur Miller, und Frisch konnte sich noch Jahre später sehr darüber aufregen, daß ihm Miller eine Gesamtausgabe seines Werkes in rotem Leder präsentierte und vorführte – eine mißlungene Begegnung offensichtlich. Und ich fragte mich immer, ob diese Geschichte einer mißlungenen Begegnung vielleicht nur das Signal dafür war, daß die Reise mißlungen war – Homo faber. Irgend etwas muß da schiefgelaufen sein. Oder war es vielleicht nur das, daß ihm in diesem Jahr das Arbeiten, das Schreiben, nicht gelang – daß es ihm damals nicht gelang, arbeitend dazuzugehören.

Ich will zwar selber nicht daran glauben, daß New York so ganz anders ist als das übrige Amerika, aber einen Unterschied stellte ich immer wieder fest: Amerika machte einen unweigerlich zum Touristen – New York kannte das nicht, wer hier ist, ist hier und gehört dazu. Das gibt einem die Illusion von Freiheit, man fühlt sich hier frei von Begriffen wie Heimat und Vaterland. Emigration hat hier etwas Endgültiges, das Ende der Emigration, wer hier ankommt, ist kein Emigrant mehr. Ich erinnere mich – ich kannte Frisch damals noch nicht – über das Gerede in der Schweiz vom Exil, als Frisch von Zürich wegzog und in Rom lebte. Frisch lehnte dafür den Begriff Exil stets ab. In Rom zu leben hatte noch lange nichts mit Exil zu tun.

Nun, in New York, zur Zeit, als er diese Vorlesungen hielt, machte er Ernst damit. Er beschloß, sein Leben ganz in New York zu verbringen – und dieses Mal empfand er das durchaus als Exil. Es war nicht nur ein Bekenntnis zu seiner geliebten Stadt New York, nicht nur der Wunsch, in die Sprache dieser Stadt einzudringen – es war vor allem ein bewußter Abschied von der Schweiz, ein Verzicht darauf, an der Schweiz zu leiden und sich für sie mitverantwortlich zu fühlen.

Er betrieb seine Wohnsitznahme dort in kurzer Zeit ernst und zielstrebig, er organisierte sich die Green Card – die Aufenthaltsbewilligung – und richtete sein Loft an der Spring Street ein. Ich habe sie nie gesehen, aber Freunde berichteten mir fast entsetzt, daß er sie sehr nach dem Geschmack seiner amerikanischen Freundin einrichtete und also auch hier auf seine Herkunft, dieses Mal auf seine ästhetische Herkunft, Architekt mit Bauhaus im Hinterkopf, verzichtete. Das war für mich damals recht unvorstellbar, aber ich fand bald eine Erklärung dafür: Als alles vollzogen war, als New York gesichert war, als Max Frisch ein New Yorker war – kehrte er zurück nach Zürich – für immer. Das Exil war bis ins letzte Detail, bis zu den amerikanischen Möbeln vollzogen. New York war möglich gemacht, New York hatte seine Pflicht getan. Das poetische Was-wäre-wenn war durchgespielt – zwar nicht bis zum Ende, das vermag die Poesie nicht, aber bis zu seinem handfesten Anfang.

Max Frisch sprach nie von seiner Rückkehr, nie von seiner Abkehr von New York – das war einfach so, und das war selbstverständlich.

Ein paar Jahre später sagte er zu mir: »Ich war übrigens, und zwar sozusagen geheim, in New York – ich wollte Karin (seine letzte Lebensgefährtin) mein New York zeigen.« Er sagte es im Tonfall eines Geständnisses, das Geständnis eines Rückfalls, und damit war es auch die Bestätigung der endgültigen Rückkehr nach Zürich – für immer.

Spaziergänge mit Frisch in Manhattan, es gibt nicht viel mehr dazu zu erzählen, als daß wir eben spazierten – ein langer Spaziergang in der Nacht, nach einer langweiligen amerikanischen Silvesterparty zurück ins Hotel, ein Zwischenhalt in einer Bar, wieder dieses »Bigelow«-Gefühl des Dazugehörens, und neben uns stand ein älterer Mann, er sah etwas heruntergekommen aus, also so, wie wenn er einmal bessere Zeiten gehabt hätte, und begann auf Frisch einzureden. Immerhin Sprache, und hier, morgens um zwei, war sie einfach. Als der Fremde aber feststellte, daß Frisch nicht sehr begeistert war, mit ihm nun Konversation zu treiben, sagte er: »Ich bin der Sohn des Architekten des Empire State Building«, und Frisch wurde wach. Er stellte Fragen, fachliche Fragen, aber der Sohn des Architekten wußte nichts zu erzählen, nur Höhe und Bauzeit und Eröffnung. Aber immerhin, wir hatten den Sohn des Architekten des Empire State Building getroffen. Frisch fragte ihn, wie er heiße. »Lamb«, sagte er. Wäre uns Ähnliches in Europa passiert, wir hätten angenommen, das sei irgendein Aufschneider gewesen. Hier in New York aber waren wir beide bereit, das Märchen anzunehmen. Nicht etwa das Märchen im Sinne von unwahr, sondern im Sinne von: Uns ist fast Unwahrscheinliches begegnet, wir haben den Sohn des Architekten des Empire State Building getroffen.

Utopie – Manhattan versprach diese Utopie. Nicht etwa die Realität dieser Stadt, aber ihr Selbstbewußtsein. Sie stellte sich als Kulisse einer Utopie zur Verfügung. Eine Stadt als Utopie, als Poesie, als Sehnsucht an und für sich.

Der Maler des *Schwarzen Quadrats*, Kasimir Malewitsch, schrieb zu seinem Bild: »Als ich 1915 den ver-

zweifelten Versuch unternahm, die Kunst vom Gewicht der Dinge zu befreien, stellte ich ein Gemälde aus, das nicht mehr war als ein schwarzes Quadrat auf einem weißen Grundfeld. Es war kein leeres Quadrat, das ich ausstellte, sondern vielmehr die Empfindung der Gegenstandslosigkeit.«
Eine gegenstandlose Poesie, eine Poesie an und für sich, wie sie Frisch fordert, wäre das nicht letztlich eine Poesie ohne Sprache oder eine Poesie in einer ganz anderen Sprache, einer Sprache, die man nicht eigentlich versteht, aber erahnt – die englische Sprache des deutschen Indianers Winnetou zum Beispiel?
Nicht nur mich hat Max Frisch mit dem Virus New York angesteckt, einige andere Freunde auch. Es war die Zeit des Vietnamkrieges, wir waren politisch engagierte Linke, es bestand für uns kein Anlaß zur Amerikafreundlichkeit. Trotzdem, die Faszination der poetischen Utopie New Yorks war stärker, kein leeres Quadrat, vielmehr die Empfindung der Gegenstandslosigkeit. (Wer übrigens damals in den sechziger Jahren in Europa mit Jeans und einem amerikanischen Army Jacket herumlief, war sicher kein Rechter, sicher kein Freund amerikanischer Politik. Aber amerikanische Symbole blieben trotz allem Symbole der Freiheit – ein eigenartiges Phänomen.)
In einzelnen Sätzen und Abschnitten erscheinen mir die beiden Vorlesungen wie ein verschlüsseltes New

Yorker Tagebuch. Nicht etwa, daß ich das im Einzelnen belegen oder gar aufschlüsseln könnte und wollte. Aber die durch die fremde Sprache in der eigenen Sprache aufgezwungene Form weist immer wieder auch auf Frischs Erleben dieser Stadt hin. Utopie? – vielleicht. Aber sicher wenigstens die Illusion der Utopie, die eine poetische ist und deren Herkunft eine romantische ist. Hier in diesen Kulissen, ahnt man, könnte sie möglich werden – einmal muß das Fest ja kommen.

Übrigens, wir haben uns selbstverständlich nach dieser Silvesternacht kundig gemacht, wie denn der Architekt des Empire State Building geheißen hat – es war das Architekturbüro »Sheve, Lamb und Harmon«. Wir hatten also wirklich den Sohn des Architekten des Empire State Building morgens um zwei leicht angetrunken in einer Bar Manhattans getroffen. Ist das denn wichtig? »Ja, das ist wichtig«, hätte Max gesagt.